JN083748

戦争と児童文学

繁内理恵

みすず書房

戦争と児童文学　目次

小さきものへのまなざし　小さきものからのまなざし

——越えてゆく小さな記憶

朽木祥『彼岸花はきつねのかんざし』
『八月の光　失われた声に耳をすませて』

一九四五年　広島

也子（かのこ）　九歳

デビュー三作目の『彼岸花はきつねのかんざし』から、短編集『八月の光』、『光のうつしえ　廣島、ヒロシマ、広島』と、原爆をテーマにした作品を何作も発表している朽木祥。被爆二世でもある朽木が描くヒロシマの物語は、時を超え、時間という流砂に埋もれてしまった人たちの姿を蘇らせる。いつしか私は彼らと語らいはじめ、今の自分の暮らしの中にも深く戦争が横たわっていることを知るようになった。朽木は、一発でひとつの国を亡ぼすことができるほど巨大な兵器である原爆を、常に最も小さな声とまなざしから描きつづける。

「あんた、あたしに化かされたい？」——異種の者たちと子ども

『彼岸花はきつねのかんざし』（ささめやゆき・絵、学習研究社、二〇〇八）は、小さな狐の子と九歳の少女也子（かのこ）の原爆投下をはさむ数ヶ月間を描いた物語だ。物語の冒頭は、「今日は爆撃機の音もしない」春の日。一面にちょうちょが群れ飛ぶように花開いたれんげ畑に寝転ぶ也子のそばに、小さな子ぎつねがはねまわる。

柴犬だろうか。まだすごく小さい。どこの犬だろう。

でも犬は、もう、あたりにはいないはずなのだ。みんな、連れていかれてしまった。

そのとき、子犬がしっぽをひらめかせた。

ふわふわのしっぽ。

（……）

この小さなきつねは、でも、まあるい目をしていた。からだつきも子どもみたい。

その目で子ぎつねは、こちらをじっと見た。ぴくりとも動かないまま。

だけど、わたしが一歩足をふみ出すと、子ぎつねは、ひらりとからだをひるがえした。

れんげ畑を子ぎつねは、さあーっと向こうへ走っていった。

見る間に、れんげ畑の中に細い道ができた。

かすかな風が起きた。れんげが、今通っていったきつねのことなんか知りませんよ、といいたげにゆれて、また、ふうわり紅の毛氈（もうせん）になった。


ヒロシマを、原爆を子どもたちに伝えようと思っても、リアルな戦争の話は怖くて恐ろしいと避けられてしまうことが多い。また、大人が無理に読ませようとしたところで、子どもたちの心に届かなければ意味がない。朽木は、子どもたちにまずどのように物語として読んでもらうかという目的でさまざまな工夫を凝らしているが、その工夫が同時に核のもたらす取り返しのつかない世界の変容を浮かび上がらせる。物語の前半は、この子ぎつねと也子が紡ぐ交流の日々。その牧歌的ともいえる世界が、原爆投下でこれまで人間が体験したことのなかった惨禍へと入れ替わる。その精緻な構造を見ながら、最も小さな場所から巨大な「核」というものを描いていく意味を考えてみたい。

也子の家は、代々広島近郊の土地に住みつづけてきた古い家柄だ。広島は平野が狭く、町のすぐそばに山がある。女系のこの家では、祖母も母も、裏の竹やぶに代々繋がりの深い自分のおきつねさんがいて、何度も化かされたことがある。どうやらおきつねさんは、女たちをだますことで霊力を積み、きつねから「おきつねさん」になるらしい。也子の家では、おばあちゃんをはじめ近所の人も男衆も、寄ると触ると、きつねに化かされた話を自慢話のように語ってきかせるのが常だ。

内山節が『日本人はなぜキツネにだまされなくなったのか』（講談社現代新書、二〇〇七）で述べるように、きつねにだまされるという話は、ごくありふれたものだった。人が足を踏み入れない野生の自然のふもとに里山という境界を持ち、暮らしてきた日本人は、自然の力や動物たちの力と複雑に関わり、共存しながら生きてきた。きつねと「おきつねさん」の違いを聞く也子に、おばあちゃんは「心のあるもの」「人間にはわからん不思議な力のあるもの」を「おきつねさん」と呼ぶのだと教えてくれた。やぶのはずれにある小さな石がいつのまにか地蔵石と呼ばれ、お供えが置かれ、涎掛けが掛けられる。祈りのあるところに心が生まれる世界。也子と子ぎつねがかくれんぼをする大楠は五百歳になるという。近代国家として軍隊を持つようになった「日本」という国の在り方よりも、ずっと昔から人々が育んできた世界の延長上に、也子と子ぎつねの世界がある。

児童文学の作家で、評論家でもある古田足日は「アニミズムの地平上に原爆が落ちたことを書いた」と朽木自身への手紙に書いたという。近代以前から村の人々が大切にしてきた暮らしと心のありようを、古田は「アニミズム」と表現したのではないか。朽木はこの世界の中で育まれる也子と子ぎつねの友情を、細やかに描き出していく。

動物や河童、おきつねさんという異種のものたちの存在を感じることは、自然への畏怖を忘れず、お互いの領域を保ちながら生きる知恵を保つことにつながるだろう。也子が暮らすこの共同体の穏やかな美しさは、長い時間をかけて培われた土地の力なのだ。『苦海浄土』で知られる石牟礼道子が育った水俣には「水俣にいる狐たちは、言葉もところの名前もアクセントも泣き方も違う」「顔も一目でこれはどこの狐だってわかる」（『花の億土へ』藤原書店、二〇一四）ほどおきつねさんがいたという。その水俣もまた、工場による水銀汚染という近代の暴力性に踏みにじられたことを想起せずにはいられない。

きつねを「心のあるもの」と感じ、人間と対等な存在として尊重する。その精神風土を背景にしながら、朽木はお互いの領域を保つ場所から、もう一歩踏み出していく。

竹が大きくゆれて、風がわさわさ鳴った。

鳥かごを風呂敷でおおったみたいに、影が竹やぶに落ちてきた。

頭の上を、竹の空がぐるぐる回りはじめた。

くらっとして、思わず目を落とすと――地蔵石の後ろに、何かがいるのが見えた。

子ぎつね。

（……）

「あんたが、オババのいってた、あの孫むすめにちがいない。」

（……）

「じゃあ、あんたが、おばあちゃんのいってた、あのおきつねさんなん?」

子ぎつねは、(人間だったら)赤くなった、といってもいいみたいな顔つきになった。

「あたしは、まだ、おきつねさんとは、とうてい、いえない。」

(……)

「あんた、あたしに化かされたい? あたし、わりあい、上手に化かせるんだよ。」

動物、河童やお化け、こびとなどの不思議な存在と子どもの距離は近い。子どもの心の中には、自分よりも小さなもの、自分よりもか弱いものに惹かれ、慈しむ心性がある。隣り合わせの異界からやってくる小さなものと子どもが出会い、心を通わせるというのは児童文学の王道でもある。子どもは、この世界に目には見えない「人間にはわからん不思議な力」の領域が確かにあることを肌で感じている。メアリー・ノートンの『床下の小人たち』が有名だが、日本の戦後児童文学では、佐藤さとるの『だれも知らない小さな国』、いぬいとみこの『木かげの家の小人たち』(一九五九年に出版された両作品はともに戦争がバックボーンにある)という、小さい人と人間の交流をテーマにした作品たちから始まった。

朽木の描く小さなものたちの物語もその系譜を受け継ぐ。デビュー作『かはたれ　散在ガ池の河童猫』(福音館書店、二〇〇五)は、河童の八寸と人間の少女麻の心の交流の物語だ。朽木は河童たちを、鎌倉の地に古くから住み、人間から身を隠し、人間とは違う文化と伝統を育んできたものとして、敬愛の気持ちをこめて描いている。

八寸たち一族は、開発が進むにつれ行き場をなくしつつある。猫に化けて人間を知る修行にやってきた幼い八寸は、正体を知られてはならぬと長老にきつくいわれていたのに、麻の家でのんびり暮らしているうちに新鮮なきゅうりを齧ったりして、あっさりと河童の正体をさらしてしまう。母を亡くし、悲しみに立ち竦んでいる麻と、家族と生き別れ、二十年もの月日を一人で寂しく生きてきた八寸は、種族を超えて心を繫ぐのだ。『たそかれ　不知の物語』（福音館書店、二〇〇六）では、麻と八寸の再会と、六十年もの間、学校のプールで一人の青年を待ちつづける河童の不知の物語が描かれる。一族が何者かに皆殺しにされてしまい、ただ一人生き残った不知。心を溶かす音色に惹かれてやってきた河童の不知に、そっと何も言わずバイオリンを聞かせた優しい少年司。ふたりは、戦時下の鎌倉の自然の中でやはり種族を超えて心を結びあうが、数年後、司は召集され片腕を失くし帰ってくる。学校の臨時教員になった司のそばにいたくてプールに住むようになった不知。しかし、空襲で司は校舎の梁の下敷きになってしまう。友だちを助けられなかった不知は、「逃げろ、不知。プールのところで待ってろ。あとで、きっと会えるから」と言った言葉どおり、司を待ちつづけていたのだ。戦争が深いテーマとして軸に据えられ、目に見えないものを感じる力が、種の壁を越えて理解と友情を育む。河童と子どもたちの心の優しさが、胸の底まで染みわたるような作品だ。

子どもは軽々と既成の領域を飛び越える。そして、それは時も場所も言語の違いさえ超えていく文学の力そのものでもある。子どもの物語は、その飛翔力が格段に強い。すべての壁を越えさせるもの。それは「心あるもの」同士の共感であり、豊かな想像力だ。

奪われた、子どもの小さな友だち

幼いころに感動した風景の大きさが、大人になってから見ればそれほどでもなかった。誰しも経験のあることだろう。也子の世界は、共同体としての村の中に限られているが、その懐は豊かな季節の色に彩られ、小さな子どもには無限とも思える喜びに満ちている。れんげ畑に沈み込む楽しさ。也子には、きつねの子がれんげ畑ではずむ気持ちがよくわかる。二人がはじめて言葉を交わすのは、すっと背の高い竹やぶの中。まっすぐ伸びる竹を見あげると、大人でもくらりと眩暈がする。ましてや小さな二人なら、聳え立つようにも思うはずだ。そこで出会った子ぎつねは「なんだか小さな女の子」のように思えて、也子の心を揺さぶる。雨が降ると「子ぎつねは、ぬれねずみになっていないかな。あのふわふわのしっぽがびしょぬれになったら、重くて情けないだろう」と気にかかる。也子が落としたおしろいばなの首飾りが、地蔵石にかけてあった。しおれず、瑞々しいままの花を見て、也子は「子ぎつねがさわったから」からかもしれないと思う。也子は、子ぎつねに映えるような色合いの首飾りを、ピンと立った耳にひっかからない大きさで作って地蔵石に置く。「そうしたら、子ぎつねが、また出てくるかもしれない」と思ったからだ。この首飾りは後に也子とこぎつねが交わす約束へと繋がる大切なモチーフなのだが、朽木は、ごく自然な交流のエピソードとして読者の胸にこれを刻んでいく。

再び也子の前に現れた子ぎつねに誘われて行った鎮守の森の大楠は空が見えないほど大きい。潜り込んだお社の床下は、子どもたちにしか入り込めない秘密の場所だ。陽の光が斜めに差し込んでくる床下で、ふたりはひっそり言葉を交わす。日常の中にあるが、子どものときしか現れない「小さい」異世界が、ふたりに魔法をかける。

　ひめじょおんは、わたしの背丈くらい高く生いしげっていた。しめった、青くさいにおいがした。

（……）

息をひそめて座っていると、目の前のひめじょおんが、そわそわゆれて、子ぎつねがひょいっと顔を出した。

子ぎつねは鼻先をわたしの顔にくっつけそうになったが、さもうれしそうにのけぞって、ぽーんとひめじょおんの中にとびこんだ。と思うと、左手からわたしの顔をのぞきこみに来て、また、ぽーんとしげみにとびこんだ。

（……）

まだ、ほんとに小ちゃいんだ。わさわさ、がさがさ、いわせるのが楽しいんだ。追っかけてもらうのが、とにかくうれしいんだ。すごく小ちゃくて、わたしと遊べるのが、うれしくて仕方がないんだ。

幼い子ぎつねの、「あんた、あたしに化かされたい？」という言葉は、あんたと友だちになりたいの、という誘いでもあり、オババとあんたのおばあちゃんみたいに長い年月を一緒に過ごしていこうね、という、指切りげんまんのようなものだったのかもしれない。こんな可愛い存在を、子どもなら愛さずにはいられない。兄弟のいない也子にとってはなおさらだ。しかし、この愛しい日々のそこかしこに、戦争が網の目のように入りこんでいる。B29が飛来するようになってから、オババのきつねも姿を見せなくなっていた。不穏な気配を感じ、オババは孫である子ぎつねを連れて里から姿を消したのだろう。ところが、子ぎつねはそのころから何度も也子のところにやってきていた。也子の父も「兵隊さんになって中国に行ったきり」「もう長いこと手紙も来ない」。也子は、どれだけ戦場にいる父のことを考えたことだろう。さりげなく書かれているのだが、也子の祖父も「前の戦争」で亡くなっている。この家では二代続きで男を兵隊にとられ、失うかもしれない状況下にある。爆撃機が飛来を繰り返すなか、不安が日々色濃くなる。戦地にいる夫が食べ物に困らないように、安全でありますように、と陰膳を供える母。この家の人たちが、よるとさわるときつねに化かされた話をしているのも、もしかしたら、それが戦争から一番遠い話だからかもしれないのだ。

冒頭の春風駘蕩としたシーンにも、戦争の史実が織り込まれている。也子は子ぎつねを見て、「どこの犬だろう」と思う。でも犬は、もう、あたりにはいないはずなのだ。みんな、連れていかれてしまった」戦時中、食糧事情の悪化を背景にペットを飼うことが白眼視されはじめ、戦争末期には犬や猫は強制的に供出させられた。防寒用の毛皮や軍事犬にするという名目ではあったが、ただ集めて殺戮されたことも多かったという（『犬やねこが消えた——戦争で命をうばわれた動物たちの物語』井上こみち・文／ミヤハラヨウコ・絵、学研プラス、二〇〇八）。可愛がっていた犬や猫を、目の前で連れていかれ、殺されてしまった子どもたちが大勢いたのだ。朽木は『八重ねえちゃん』（『八月の光　失われた声に耳をすませて』小学館、二〇一七所収）という短編でもこの犬猫の供出の問題を取り上げている。子どもたちと一緒に転げ回って遊んでいるはずの子犬も子猫も「みんな、連れていかれてしまった」。そんなとき、ふわふわのしっぽの生き物に心をぎゅっと掴まれてしまった也子の気持ちを想像すると胸が痛くなる。

葬列となったきつねの嫁入りと、果たされなかった約束

この物語には、タイトルに使われている彼岸花ときつねの嫁入りのモチーフが繰り返し現れる。一度目は、子ぎつねと出会ってすぐに、竹藪の中でうたた寝しながら見た也子の夢だ。彼岸花をかんざ

しにした高島田のきつねの花嫁さんが、也子の夢の中を横切ってゆく。

シャンシャンシャンシャン。
鈴の音が聞こえてきた。
お稚児さんの鳴らす鈴のような音。
竹やぶの向こうの畑から、行列がゆっくり近づいてきた。
シャンシャンシャン。
裃や羽織や袴。
鶴の模様の華やかな打ち掛け。
嫁入り行列だ。
シャンシャンシャン。
花嫁さんの高島田に飾ってあるのは、彼岸花だった。
赤い彼岸花。
彼岸花が華やかなかんざしのように、花嫁さんの高島田にゆれていた。

幸せの象徴であるかのような花嫁さんも、戦争の中では悲しみの影を帯びる。也子が一度だけ見た花嫁さんは、富田さんの家のお姉さんだ。牡丹模様の振り袖を着てお嫁に行ったお姉さんのお婿さんは、すぐに兵隊に行き、お姉さんは肺病になって実家に送り返されてきた。戦時中は栄養事情も悪かったので結核も多かった。私の父もそうだった。この頃に煩った結核で片肺になっていた父は、晩年残った肺を患って早くに死んだ。「すきとおるように色が白くなって」いくお姉さんには、間違いなく死の影が差している。お姉さんのように、若くして夫を戦地に送った若い女性は数限りなくいた。『八月の光』の中の一篇『銀杏のお重』も、たった三日しか結婚生活を送らなかった花嫁の物語だ。そして、也子のお母さんも、夫を戦地に送った一人だ。

きつねの嫁入りには二種類あるという。昼間の嫁入りは晴れているのに降る雨。夜はきつねが青いぼんぼりのような狐火を灯すという。お母さんは「いつになく明るい顔になって」也子に自分が幼い頃に見たきつねの嫁入りの話をする。トンボ取りの名人だったお母さんが、たくさんのトンボを指にはさんで遊んでいたとき、子どものきつねがその様子を見ていた。西日の中、きつねの目の前で赤トンボをぱっと放したら、お礼に、暮れた山に点々と灯る狐火を見せてくれたのだという。「青い狐火が数珠つなぎにつながっていって、山の中腹から頂上に向かって、ずうっと登っていく」光景は、あまりに美しくて、儚い。日本の祖霊信仰においては、山の上に祖先の霊が登り、村人たちを見守る神になる。山に登ってゆく狐火の思い出は、どこかこの世のものならぬ風景だ。也子の子ぎつねには母親がいないが、「近頃は化かされることがなくなった」と言う也子のお母さんの「おきつねさん」は、戦争が始まったころに町に行く道で死んでいたことが物語の最後に知らされる。

原爆投下の前夜、也子が窓から満点の星空を見上げるシーンがある。

> 見上げると、満天の星だった。
> 灯火管制がしかれているから、町はもちろん真っ暗だ。北のほうも山と空の境がわからないくらい、ぬれぬれと暗い。だけど、暗い世界だから、星がこんなにきれいに見えるのだ。

（……）


ほおづえをついて空をながめていると、星がひとつ落ちて、竹やぶに消えた。

あの星の落ちた先には、きっと、ふわふわのしっぽの小さなきつねがいる。

笑ってるみたいに、はねる子ぎつねだ。

きっと子ぎつねは、わたしと同じように空を見上げていて、星が落ちたあたりに、とっとかけていっただろう。落ちた先の地面を前あしでつついているかもしれない。

小首をかしげて考えごとをしているかもしれない。

町から帰ってこないもののことを思ったり。


この物語の舞台は、里山という、人と人ならぬものの境界にある世界であると同時に、核以前と核以後という、人類の巨大な裂け目に浮かぶつかの間の世界なのだ。そのかけがえのなさと儚さが、この星空の情景から浮かび上がる。原爆投下によって変容する世界の最後の夜。しかし、この里の美しさ、無傷なまま保たれた広島の人々の暮らしは、アメリカによって用意された静けさだった。

原爆を投下する都市をどこにするか。「日本陸軍の船舶、運輸の中心地で大きな乗船港を持ち、かつ、日本海軍の輸送船団の集合地」（『新装版　米軍が記録した日本空襲』平塚柾緒編著、草思社、二〇一〇）であること。原爆の威力を正確に知るため、それまで空襲で破壊されていないことも大切な条件だった。候補地広島は「原爆の効果が正確に測定できるよう」（『図録ヒロシマを世界に』広島平和記念資料館、一九九九）焼夷弾などで市街を焼き払う空襲は禁止された。その史実を踏まえると、この夜空は、美しさとともに残酷さも浮かび上がらせる。『プルトニウム・ファイル――いま明かされる放射能人体実験の全貌』(渡辺正訳、翔泳社、二〇一三)でアイリーン・ウェルサムが明らかにしたように、アメリカは広島・長崎以後も、プルトニウムをがん患者に注射したり、妊婦に放射性鉄を飲ませたり、放射能が人体に及ぼす影響を知るために自国の国民に対しても被爆を伴う実験を繰り返した。核実験後の爆心地に兵士を送り込んで戦闘訓練を実施することもあったという。ウェルサムはこの著書でピューリツァー賞を受賞している。この流れを俯瞰すると「広島・長崎への原爆投下さえもアメリカにとっては核・放射能実験の一つだったとみることも、穿ち過ぎではない」(『なぜ原爆は悪ではないのか　アメリカの核意識』宮本ゆき、岩波書店、二〇二〇)という見方にもたどりつく。

也子は「あしたも、きっときつねを探しに行こう」と思い、眠りにつく。八月の初めに、最後に子ぎつねと会ったとき、二人は約束して別れたのだから。「こんど、また、遊んであげるよ」と言う子ぎつねに笑顔で也子は答えたのだ。


「うん、こんど、また遊んでね」

「こんども、こんども、また、こんどもね」

子ぎつねはそういったあとで、さもうれしそうに、くるりっと一回転した。

すると、光の輪っかができた。

薄暗い竹やぶの中に、きんいろの光の輪っかが残って、いっとき灯がともったみたいになった。


そして、校庭で友だちとお手玉をして遊んでいた也子の上に原子爆弾が炸裂する日がやってくる。

気がつくと、あたりは、しんとしていた。

真っ暗だった。

だんだん、あたりが灰色になって、ふと見ると、とがったものが腕にいっぱいつきささっていた。窓ガラスのかけらだ。少しも痛くなかった。まるで自分の腕ではないみたいに。

足の先で小さなものが動いた。

ねずみかと思ったら、雀だった。

雀は、ぴくぴく、胴体ではねた。

羽を焼かれて、空から落ちたのだ。

誰かにおぶわれた也子の上に黒い雨が降りかかる。也子は「あんなに晴れていたのに」「きつねが嫁入りをしているのかな」と意識を失いながら考える。也子の世界は変容してしまった。生から死へ。原爆前から原爆後へ。也子は長い間、寝付いたままになり、繰り返しきつねの嫁入りの夢を見る。

花嫁さんのかんざしがゆれたかと思うと、ぽとりと地面に落ちる。

落ちた地面に、羽を焼かれた雀が転がっている。

地面に落ちたかんざしが彼岸花になる。

彼岸花がみるみる増えていく。

一面の赤い彼岸花。

（……）

彼岸花が白くなる。
白くなって、ふいに、きつねに変わる。
一面の彼岸花が、きつねになる。
きつねの一個大隊になる。
きつねたちは、みんな、向こうを向いて座っている。
座っていたきつねたちがいっせいに立ち上がる。
立ち上がって、行軍しはじめる。

行軍しながら振り返るきつねは、お父さんになり、おじいちゃんになり、男衆のコウさんも、仲良しの女子衆のねえやんも、きつねの軍隊とともに歩いていってしまう。きつねの嫁入りは、前半の民話の世界の行列から、死者たちの葬列へと姿を変えた。朽木は、原爆の直接的な描写ではなく、也子の夢に登場するモチーフに象徴させることで、也子の日常が大きな暴力に奪われたことを描いた。「前とおんなじに針が進んで時計が鳴って」いるのに、「ピカドン」の前に也子と子ぎつねが刻んでいた優しい時間が、くるりと地獄の日々に姿を変える。

何代にもわたってきつねが住んでいた竹やぶでは、百人ほどの遺体を焼いた。その遺体を一匹の子ぎつねがひとつひとつ頬をのぞいて確かめていたと、やっと起き上がれるようになった也子はおばあちゃんから聞かされる。也子の左頬に浮かぶえくぼがないかどうかを確かめるように。目立つ目印がないと確かめられないほど、「ピカドンに生きながら焼かれて、人のかたちとは信じられないような姿になった人ばかりだった」のだ。生き別れた家族や友人を探すために人々は瓦礫と死体の中を彷徨いつづけた。

最後に也子と子ぎつねが会ったとき、子ぎつねは也子にもう一度、「あんた、あたしに化かされたい？」と尋ねたのだ。そう言ってくれるなら、柿や栗もあげる、「花はどう？」と聞かれて、也子は考えたあげく、きつねの花嫁さんが挿す「彼岸花」と答える。赤い彼岸花ならどこにでも咲く。農家ではもぐら避けに彼岸花を田んぼのまわりや土手に植えることが多い。也子の里のようなところでは、秋には真っ赤に群れて咲いていたことだろう。赤い彼岸花なら簡単すぎる、だからあえて「白い彼岸花」と言ったのだ。「化かされる」よりも、子ぎつねともっと仲良しになって一緒に遊んでいたかったから。

子ぎつねは約束を守って、お彼岸のとき、あの地蔵石のところに白い彼岸花を持ってきた。しかし、その後も、也子の前に姿を現わすことはなかった。白い彼岸花は、町のほうにしか咲いていない。ピカドンのあと、町に友だちを探しにいって死んでしまったねえやんのように、子ぎつねも「ピカドンの毒を拾って」しまったのか。子ぎつねは也子との約束を果たしたけれど、也子は子ぎつねに「あんたに、化かされたい」と言ってやることができなかった。「彼岸花なんか、ほしいっていうんじゃなかった」――約束は永遠に果たされないまま、也子の心に深い悔いが刻まれる。


きつね、彼岸花なんか、いらない。

わたしは、あんたに化かされたい、っていえばよかったよ。


絵本版の『彼岸花はきつねのかんざし』（ささめやゆき・絵、学研教育出版、二〇一五）では、子ぎつねの持ってきた彼岸花が、まるで墓標のようなお地蔵様の前に手向けられているシーンで終わっている。子ぎつねの噛みあとがついて、枯れてしまった彼岸花は、どこかで固く、冷たくなってしまった子ぎつねの亡骸のように見える。

compassion（共感共苦）として分け合う記憶

古田足日は、戦後世代が戦争を語り継ぐために、「体験の思想化」が必要であると述べている（『現代児童文学を問い続けて』くろしお出版、二〇一一）。それは、「何度もその体験に立ち帰って、自分の生きる道を問うこと」であり、語り継がれる体験を、いかに自分の中に生きたものとして血肉化していくか、ということでもある。朽木は、その鍵がcompassion（共感共苦）にあると考えている。フランスの歴史教育者ジャン＝F・フォルジュは『21世紀の子どもたちに、アウシュヴィッツをいかに教えるか？』（高橋武智訳／高橋哲哉解説、作品社、二〇〇〇）の中で、アウシュヴィッツで作成された身体特徴記録カードに残された囚人番号27129番の少女の写真を紹介している。こちらをまっすぐ見据える少女のまなざしは、「難破した者たちの魂を、その見えないが消えることのない痕跡が「経験世界を超えた無限の航跡」となっている者たちの魂を、われわれの心のなかに浮かび上がらせるよう強いる」。彼女の苦悩をそのまなざしから想像し、共感すること。その心の動きをフォルジュは「compassion」（共感共苦）であると表現している。「compassion」の「passion」はキリストの受難をあらわす言葉であり、「sympathy」よりも深い同情、助けたいという気持ちを含む言葉だ。フォルジュは優れた芸術作品が生み出す感動こそが、この「共感共苦（コンパッション）」を生み出しうるような理解へ至るドア」を開くと述べている。朽木もこの言葉を「他者の痛みへの深い思いやりと理解、またそれらを抱くことのできる人道的な本質」（「『記憶』から去らない姿」『子どもと読書』二〇一三年七・八月号所収）として、自らの創作の指針にしている。

ヒロシマ、核という巨大なものに対するとき、私たちは茫然として思考停止に陥りやすい。しかし、自分の心の中にあるものを手掛かりにして想像力を働かせること、この世界で、一番小さなものを大切に見つめる眼差しこそが、国という枠組みの中で人間を縛る構造的な力を解除する鍵ではないか。

宮本ゆきは『なぜ原爆が悪ではないのか――アメリカの核意識』の中で、アメリカにおいて何度も繰り返されてきた核実験の被害がことごとく隠蔽され、被害者が声をあげにくいシステムが強固に形作られてきたことを検証している。その結果が「核の抑止力」という論理を正当化し、国民が核の保持を支持する要因にもなっているという。日本はどうか。広島と長崎には原爆資料館があり、学校教育の中で原爆の恐ろしさや被害を語り部の方々から聞く活動なども行われている。しかし、それも国をあげての取り組みというよりは、困難を乗り越えて原水爆禁止運動に取り組んだ人々の努力の結晶というべきものだろう。今現在の被爆についてはどうか。福島の第一原発事故の際に被爆の危険にさらされた人たちに正確な放射能についての情報が知らされたか。その不安が現在解消されているのか。事故処理がままならない中で、たまっていく放射性物質も含めてすべてが先送りになるのが現状だ。アメリカの核の傘の下で「核の平和利用」として原発を推進してきた日本でも、やはり核被害は隠され、語りにくいものであることに違いはないのではないか。二〇二一年一月に発効した核兵器禁止条約に、世界で唯一の被爆国であるにもかかわらず、日本は署名していない。

宮本は、核の力が正義の名のもとに愛国心や道徳として語られる構造を解除するには、被害者が声をあげるしかないこと、しかし容易に個人が声をあげることができない困難があることも指摘している。放射能被害に対する差別、職場や地域での生きにくさなど、暮らしの中で個人が声をあげることはハードルが高い。原爆の被害者として自分の体験を語るにはとてつもない苦しみを再び見つめなければならない。だからこそ、フィクションとして共有される物語は、大切な役割を果たすのではないか。

核以後のヒロシマの記憶

ともすれば失われがちな声に耳をすませる。その試みが『八月の光　失われた声に耳をすませて』（小学館、二〇一七）に結実する。

後書きで、朽木は福島の原発事故の衝撃を語っている。

二〇一一年にフクシマの原発事故が起きたとき真っ先に考えたのは、私たちがこれまで十分にヒロシマを伝えてこなかったのでこんなことが起きてしまった、ということでした。

その思いに突き動かされるように発表された短編集『八月の光』は、静謐な筆致で紡ぐ連作短編である。二〇一二年の初版に収められた三篇から少しずつ書き足され、二〇一七年に刊行された新版では七篇になった。あの日の惨禍に巻き込まれた人たち、もう帰らぬ人々、大切な人を失ってしまった人々。『彼岸花はきつねのかんざし』が、核以前と核以後のあわいに浮かぶ世界だとすれば、『八月の光』は核以後のヒロシマの記憶だ。『石の記憶』『雛の顔』『銀杏のお重』という前半の三篇は原爆投下から間もない頃の物語であり、この中では少し異色な『水の緘黙』をはさんで『八重ねえちゃん』

『三つ目の橋』『カンナ　あなたへの手紙』は原爆投下の数年後から七十年後までの物語が収められる構成になっている。連作短編としてこの本が編まれているのは、「ひとり」にまなざしをフォーカスさせたいという願いだろう。国立広島原爆死没者追悼平和祈念館には遺影コーナーがあり、スクリーンに原爆犠牲者の顔写真と名前が一人ずつ浮かび上がる。何万人もの数に埋もれた存在ではなく、顔と名前を持つ一人の人間の物語を積み重ねることによって、被爆者たちがどのように歩き出し、苦難や社会的な差別の中で生きてきたのかが伝わってくる。

朽木がこれらの短編で目指しているのは「個」の取り戻しだ。「原爆」「被爆者」と聞いたとき、真っ先に思い浮かべるのは巨大なきのこ雲、八月七日にテレビで見る平和記念式典の映像だろうか。遠い昔に悲惨な目にあった気の毒な人たちというイメージ。何十万と伝えられる被害者の数は、多ければ多いほど私たちの想像を超えてぼんやりとかすんでしまう。広島平和記念資料館に収められた被爆者の遺品を撮影した石内都は、「わたしの知っている広島は固定概念でしかなく、過去の残照のような暗く硬いイメージにどっぷり漬かっていた」（映画『ひろしま　石内都・遺されたものたち』リンダ・ホーグランド監督、二〇一二パンフレットより）と述べている。しかし、ほのかな光に透けるワンピースやブラウス、花びらのような襟に可愛いボタンという丁寧な手仕事の遺品と向き合ううち、一人ひとりの暮らしと日常が浮かび上がってきたという。

『石の記憶』は、広島平和記念資料館に収蔵されている「人影の石」を題材にした物語だ。爆心地から二六〇メートルの場所にある住友銀行広島支店の石段には、そこに座っていた人の影が、熱線で焼き付けられている。原爆の惨禍を語るものとしてあまりにも有名なその「影」に埋もれてしまった人を、朽木は仕立て物で生計を立てる働き者の女性として蘇らせた。戦死した父のことを考えながら毎日を暮らす、母と娘。しっかり者の母が疎開の準備に銀行に行った朝、ピカドンが炸裂した。たったひとりで崩れた家の庭に戸板を敷いて母を待つ娘の目に、母が愛用し「テルノ」と墨で名前を書いた針箱が壊れ、ばらばらになっているのが映る。母の分身のように使い込まれた針箱からこぼれ落ちた色とりどりの糸巻は、始末を重ねて丁寧に暮らしていた人柄と、同時にもうすでに彼女がこの世の人ではないことまで暗示される。原爆投下から三日後、いっこうに帰ってこない母を探しに出た娘が見つけることができたのは、石段に焼き付いた母の影だけだ。

『雛の顔』は、入市被曝で死んだ真知子という若い母と女学生の娘昭子の物語だ。ピカドンが落ちた日に、陰膳が落ちたから「きっと、ようないことがある」と勤労奉仕にいかず、助かった真知子。しかし、「一人だけ助かった後ろめたさ」から世間の目を気にする祖母は、近所の帰ってこない人を探しに真知子を爆心地に行かせる。器量自慢で美しいものが好きだった母は、娘を残して原爆症で死んでしまう。桜に見とれて、赤ん坊だった昭子を乳母車に乗せたまま忘れて帰ってきたりするくせに、時に人の生死を予言したりする、異能とまではいかないが、「奇妙な聡さ」を持つ美貌の真知子。「もとおらん（役に立たない）」のに周りがそれを許してしまう不思議な人物像が、降りしきる桜のイメージと重ねられ、やはり被爆して寝込んだ昭子の夢の中で炎上し、燃え尽きていく。駅で被爆した昭子は線路に叩きつけられたが、なんとか生き延びた。しかし、あのとき自分の下にいて、鼻がこっぽりともげてしまっていた男子生徒の姿が、音もなく歩いていた幽霊のような人の群れが、いつまでも忘れられない。

鼻がもげたのは、自分だったかもしれなかった。ちぎれた皮膚を引きずっていたのも、狂ったように駆けていったのも、黒焦げで胸に抱かれていたのも、自分だったかもしれなかった。

『水の緘黙』は、この生き残ってしまった者の苦しみに深く分け入っていく、ほかの短編とは趣を異にする物語だ。広島は川の町。原爆ドームの横にも大きな川が流れている。あの日、川面を一面に埋めるほどの人々が水を求め、水に流され、亡くなっていった。もはや何も言えなくなってしまった死者たちと、残されたがゆえに、何も言葉にできぬまま生きるものの苦しみ。それを何も言わず流れる川の水面に託したタイトルだ。「緘（かん）」という漢字のもともとの意味は「棺をたばねる縄」だ。昔は棺に釘を打たず、ひもなどで縛るのが習慣だった。そこから封をする、内に閉じ込めるという意味に使われる。

『水の緘黙』の冒頭には、「ウーティスーダレデモナイ—『オデュッセイア』第九歌「キュクロプス物語」に寄せる頌（しょう）」が置かれている。


影の仲間たちが影に問う。

「逃げだしたのはだれなのか」

影は答える。

「だれでもない」

影はくりかえす。

「ダレデモナイ」

仲間たちはふたたび問う。

「おまえが追うのはだれなのか」

影は答える。

「ダレデモナイ」

仲間たちはせせら笑いながら、さらに問う。

「では、おまえを傷つけたのはだれなのか。おまえを盲にしたのはだれなのか。おまえに屍衣を着せたのはだれなのか」と。

（……）

影たちは、いつもそこにいて僕を追ってくる。

（……）

あてどなく逃げまわるうち、僕も自分の名前がわからなくなる。

初版の『八月の光』では、この『水の緘黙』は全三篇の最後に置かれ、その前の『雛の顔』と『石の記憶』の少女たちも、名前を伏せられたまま登場する。主人公は最後まで固有の名前を持たず「僕」のままであり、その他の登場人物もK修道士、P神父というふうに、イニシャルでしか呼ばれない。文体もほかの短編の静かな心に染み入る文体から、「頌」にふさわしく、「僕」を中心に無数の声が合唱するような文体へと切り替わっている。

『水の緘黙』の主人公である「僕」は、原爆の落ちた日から、自分が誰であるのかも思い出せずに、ずっとさまよっている。それは、「僕は一人で逃げた。子どもを見捨て、女の人を見捨て、年寄りを見捨てて、一人で逃げた。耳をふさいで、目を伏せて、ひたすら逃げた」からなのだ。「僕が見捨てた人たちが、恐ろしい影となって追って」くる。「僕」は毎日町をさまよい、夜は川のほとりに帰る。整地されて公園になる前の爆心地には、原爆スラムと呼ばれた、「貧困や外国人に対する入居差別など、土地ではなく社会的な線引きによって、土地の購入や借地はもとより、公営住宅や民間賃貸住宅からもはじき出された人びと」（『広島復興の戦後史　廃墟からの「声」と都市』西井麻里奈、人文書院、二〇二〇）がバラックを建てて住んでいる地域があった。そこに住む人々もまた、戦後の復興から取り残された「影たち」であったろう。

闇のなかで息を殺して座っているうちに、僕は自分がだれなのか思い出せないことに気がついた。服も名札も焼け焦げて、何の手がかりにもならない。覚えているのは、自分が見捨てた人びとの姿だけだった。

母子、老婆、少年──焼かれて影になり果てた人びとの姿。

僕のことを知る人はいなかった。思い出すことのできる人もいなかった。

あの日、見捨てて逃げてしまったので、この世に僕を知る人はだれ一人いなくなってしまったのだろう。

僕は自分の名前を忘れたまま毎日をやり過ごし、ときどき振り返って、確かめた、

影たちは、いつでもそこにいた。

えぐられたうつろな眼窩のまま。焼けただれた姿のままで。

「僕」はあの日に出会った死者たちとずっとともにいる。「この人たちのだれ一人も助けることなく、この人たちをみんな見捨てて逃げた」から。「僕」はある日、流れてくるオルガンの音に惹かれて教会に入る。死んだようになっていた心に音楽が響き、教会に日参するようになった僕は、やがてK修道士と話をするようになる。K修道士もまた、あの日の自分をずっと責めつづけて生きている人だった。あの日、母と妹を探して、誰も助けぬままに、ただただ焼けただれたヒロシマの町をさまよったこと。川の中洲で木に引っかかっていた遺体を、自分の妹とわからず眺めていたこと。引き上げられた遺体の胸の名札の、ほんの小さな青い縞模様でそれが妹の変わり果てた姿だと気づいたが、あまりの遺体の無残さに足がすくんでしまったことが手紙の中で明かされる。K修道士は妹を訪ね歩いているとき、ひどく火傷を負った妹の同級生の女学生に会う。

お嬢さんは、くりかえしくりかえし「ごめんなさい」と言いました。妹と一緒に逃げてこられなかったことをしきりに詫びているのでした。

私は返事をしませんでした。頭のおかしくなった私は、「そうです、どうして一緒に逃げてくれなかったのですか」と考えていたのです。(……)

黙って突っ立っている私を、そばにいたお母さんがぼんやり見上げました。

「抱きしめてやりとうても、どこをさわっても身体が崩れてきてしもうて」とお母さんはうつろな目で言われるのです。

そして「私はそれがこわい、そういう私は親でもない、人でもない」とつぶやいて泣かれるのでした。

NHKの「原爆の記憶　ヒロシマ・ナガサキ」というライブラリーには、何十年も、自分が被爆者であるということさえもひた隠しにした方々の文章がいくつも綴られている。あの人も、この人も目の前で死んでいったのに、自分は生き残った。生死を分けたものが何かは、わからない。わからないままに、生き延びた自分を責め、苦しみにさいなまれる。被害者でありながら、まるで加害者であるかのような罪悪感に引き裂かれる思い。死者と生き残った者との圧倒的な距離。シベリアの強制収容所を生き延びた詩人の石原吉郎は、「死者はすでにいない――映画『夜と霧』を見て」という文章の中で、こう述べている。

（……）生者はその死にさいして、さいごまで生者としてとりのこされるのではないか。死につつ生きのこるのではないか。（……）永劫に生霊として、浮かばれぬ淵をさまようのではないか。（……）
私は生きる側にのこる。のこらざるをえない。そしてこの、のこらざるをえないという事実から、どれほどの労苦がはじまるだろう。

（『石原吉郎評論集　海を流れる河』所収、同時代社、二〇〇〇）

この生き残ってしまったという思い。阪神淡路の、そして東日本大震災の被災者たち。十六歳でアウシュヴィッツに移送されたマグダ・オランデール＝ラフォンは、家族の中でただ一人の、そして同じ運命に投げ込まれたハンガリーの同朋の中の数少ないサヴァイヴァーとして収容所を生き延びたが、「このわたしだけが生きているという悔い」は「わたしから離れていかなかった」（『四つの小さなパン切れ』高橋啓訳、みすず書房、二〇一三）。収容所の記憶を「無意識の暗室」に押し込め、生まれ育ったハンガリーの記憶を閉じ込めてしまったマグダは、とうとう母語まで忘れてしまったという。

四年もの間、「僕」が封じ込めようとしていたのは、あの日大きな梁の下敷きになって「助けて」と言っていた少女を見捨てて逃げてしまった記憶だった。しかし、封印を解いて、おそるおそる少女の最期のことを話した「僕」に、少女の両親は「恋のひとつもせぬまま死んでしもうたけど、あれはだれだったろうと、こんな長いあいだ、見も知らぬ人に思うてもろうてありがたいことです」と涙を流す。そしてやっと思い出すのだ。少女が「僕」に「助けて」ではなく「逃げて」と言ったことを。

朽木による頌、「ウーティスーダレデモナイー―」で、影は「逃げだしたのは誰なのか」と聞かれ、「だれでもない」と答える。人類が経験したことがなかった地獄の中で、逃げるのが精いっぱいであったことを、誰が責められよう。大きな梁の下敷きになった少女は「逃げて」と「僕」に言った。それは「生きて」という願いにほかならない。

「あの人たちが死に私たちが助かったことにどんな意味を見い出せと、神が考えているのか、私にはどうしてもわからないのです」

自分に言い聞かせるようにK修道士は続けた。

「あなたでも私でもよかった。焼かれて死んだのも、鼻をもがれたのも、石に焼きつけられたのも。あなたでも、私もあった。死ぬのはだれでもかまわなかった」

そのとおりだった。

「私にはいまだに、その答えがわからないのです。……だからこそ、あの日を記憶しておかなければと思うのです。あの日を知らない人たちが、私たちの記憶を自分のものとして分かち持てるように」

生き残ってしまったという苦しみ、もしかしたらあの人を救えたかもしれない、と自分を責める苦しみ。その個としての苦しみを数の中に埋没させるのではなく、他の誰のものでもないかけがえのなさで語ったこの物語は、生き残ってしまった者と、あの日に声もあげずに死んでいった人たちとの魂の対話の物語なのだ。「逃げだしたのはだれなのか」と聞かれ、「だれでもない」と答えた影たちは、「では、おまえを傷つけたのはだれなのか。おまえを盲にしたのはだれなのか。おまえに屍衣を着せたのはだれなのか」という問いに沈黙する。残された者たちができること、それは、あの日の後に生まれた私たちも含めてだが、この沈黙に答えようとすること。あの日を記憶し、なぜあのようなことが起きたのか、二度と起こらぬようにするにはどうすればよいのかを考えつづけること。朽木は講演会で何度か「記憶の義務」という言葉を述べている。この「義務」は、過去の死者たちへの義務であると同時に未来を生きる子どもたちへの義務だろう。今、死者たちを飲み込んだ川で遊ぶ子どもたちの目にうつるのは、「目の前に広がる輝かしい夏の日の、きらきら光る水」だけだ。その子どもたちに老人が「引きずりこまれるぞう」と大きな声をかける。「ご老人にはあの日の川が見えるから」とK修道士は言う。

『水の緘黙』は生き残った人々の、呪いにも似た苦しみに閉じ込められた魂にささげられた物語であり、共感共苦の力でその苦しみを人類の記憶として刻もうとする試みなのだと思う。もしそれができるなら、彼らの苦しみは希望として、真に解放されるのかもしれない。物語の最後に「僕」の心に満ちる八月の光は、まぎれもなくその希望の光だ。

あの日の記憶を受け継ぐ

新たに編まれた『八月の光　失われた声に耳をすませて』では『水の緘黙』の後に三篇が置かれた。『八重ねえちゃん』は、可愛がっていた老犬を役場の人に連れていかれてしまった少女、綾子の物語だ。人間を信頼しきって暮らしていた犬や猫を、なぜ殺さねばならないのか。泣きながら「なんで連れていかれたん。なんで、なんで」と聞く綾子の問いに、大人たちは黙ってしまうか、苦々しい顔をして「お国のため」だから仕方がないと言うだけ。ただ一人、年の近い叔母の八重ねえちゃんだけが、なんとか問いに答えようと一所懸命言葉を探し、「こうようなことは、いけんよねえ」と、怒りに震える綾子とともに泣いてくれるのだ。

大人たちは、綾子の「なんで」という問いかけに「聞こえないふりや見ないふり」をした。心のどこかでおかしいと思っていても、その気持ちと向き合えば、「非国民」であることに繋がってしまう。それは、危ない目にあうことでもあり、大きな壁にたった一人でぶつかりにいくようなことでもあった。私も、戦争中に大人として生きていれば、同じことをしただろう。老犬のトキが連れていかれてから半年後、広島には原爆が落とされた。爆心地近くで勤労奉仕作業のために集められていた女学校や中学校の生徒たちのほとんどは即死して、遺体も残らぬほど焼けてしまったのだ。綾子と一緒に泣いてくれた八重ねえちゃんも、帰ってこなかった。

「いとけないもんから……こまいもんから、痛いめにおうて（あって）しまうよねえ……」

戦争で一番先に踏みにじられるのは、子どもや弱い立場にいる者たちだ。八重ねえちゃんは、よく言えばおっとり、要領が悪い愚直な人だった。でも、彼女だけが綾子の、連れていかれたトキの痛みと苦しみに共感し、「こうようなことはいけんよねえ」と言う力を持っていたのだ。

「うちは頭が悪いけえ、むつかしいことは、ようわからんけど……」と言っていた八重ねえちゃんのような人が——素朴だけれど正直な人が、聞こえないふりや見ないふりをしない人が、もしももっとたくさんいたなら、空まで泣くような、あんなむごいことは起こらずにすんだのか。

この物語の最後、十八歳になった主人公の綾子は、原爆のあの日を思い出しながら、「どうして、あんな恐ろしいことが起きたのだろう」と激しく読み手に訴える。大人たちが、愚直な子どもの「どうして」を手放してしまったあと、犠牲になるのはこれからを生きる子どもたちなのだ。

続く『三つ目の橋』の主人公の「私」も、「悪い夢の連なり」の中に、「過ぎたけれど決して去らぬ日」の中に立ち尽くしている。同級生はあの日、奉仕作業でピカにあい、誰一人助からなかった。彼女は腹痛で休んでいたのだ。やはり勤労奉仕に出ていた父は遺体もみつからず、弟はひどい火傷を負って二日もたたぬうちにやはり死んでしまった。父を諦めきれぬ母は「お父ちゃんが帰ってきた音がした」と玄関先に走り出ることを繰り返すが、次の年の春を待たずに父と弟の後を追って逝ってしまう。幼い妹を抱え、女学校もやめて働きながら必死に生きる日々。しかし、生活の困窮と被爆者への根強い差別が「私」を苦しめる。「うちじゃあ、だれもピカにおうとらんけえ、あんたのことが容易(たやす)うにはわからん……」。結婚話も反故にされ、病への不安を抱えて。「ピカにおうたもんは、たとい生きても地獄じゃ」という隣組のおばあさんの言葉は、戦後を生きた被爆者の方々に共通する思いなのだろう。

原爆という泥沼のような絶望が隠してしまっていた生きる喜びを、朽木は「私」のために取り戻す。物語の最後に「私」の手に触れた妹の頬のやわらかい命のぬくもり。幼い妹の頭をなでることができるのは、この世にたった一つの「私」の手だけなのだ。

『銀杏のお重』で、たった三日の結婚生活を送るために嫁ぐ姪が婚家から見下されぬようにと集まって工夫を凝らす母や伯母たちの手も、きっと働き者のあたたかい手であったろう。代々の女たちの手で丁寧に使われ、手入れされ、晴れの日の料理が詰められた嫁入り道具の銀杏のお重も、原爆で煙のように消えてしまった。花嫁だった人のほっそりした美しい手は黒焦げになり、力なくことりと畳に落ちる。

この『八月の光』に収められた短編たちは、かけがえのない命のひとつひとつを丁寧に描くことで、かつてあった町と暮らしが、そこにあった喜びが、さまざまな角度から見たホログラムのように像を結ぶ構成になっている。一つの町が丸ごと失われる、そこにあった暮らしが根こそぎ奪われるということがどういうことかは、そこに生きていた、たった一つの人生の場所に立たないと見えてはこない。あれから六十年以上経った日本で、原発事故の放射能によって根こそぎ暮らしを奪われるということが、また起こってしまった。七篇の物語の中の苦しみと痛みは、まさに今の、そして未来の私たちの苦しみと痛みであり、また子どもたちの姿でもありうるのだ。

最後の短編『カンナ　あなたへの手紙』は、あの日から七十年後の物語だ。被爆後、八十を過ぎるまで生き抜いた祖母。「私」が鎌倉の祖母の家に遊びにいった夏、散歩の途中で見つけたカンナの前で、祖母は長い間しゃがみこんで花を見つめた。「七十年、草木も生えん」と言われたヒロシマでいち早く咲き乱れて人々を励ましたカンナの花に出会った瞬間、祖母の中に「過ぎたけれど決して去らぬ日」が蘇る。

「忘れないでね、たっちゃんのこと。私がいなくなったら、もうだれもあの子のことを思い出せなくなる。だから、どうかあなたが覚えていて」

幼い弟が原爆症で死んでしまう直前に、「きれいじゃねえ」と二人で見つめたのがカンナだった。原爆の記憶を聞かされた「私」は、祖母の死後、遺言で達夫大叔父の隣に遺骨を納めに広島に行き、「おばあちゃんに、もう一つ頼まれたことがあるの」と言う母に連れられて広島平和記念資料館に行く。出口の手前で「七十年、草も木も生えないと言われていた広島に、思いがけず咲いた」カンナの花の写真の前に立つ一人の少年の後ろ姿が「私」の目に入る。

その子は小学校に入るか入らないくらい、とてもやせていて、坊主頭の下の首も細くて折れそうなくらいでした。粗末な木綿のブラウスに短いズボン、裸足の足もとには下駄みたいに見えるサンダルをはいています。（……）

なぜか、とてもなつかしい気持ちになりました。服装のせいでしょうか。それともどこかで会ったことが？――考える間にも、その子はさっときびすを返すと展示室のほうに駆け去ってしまいました。

少年は過去からやってきた「たっちゃん」なのか。それとも、核実験で、劣化ウラン弾で、原発事故で、今苦しい思いをしている子どもたちの魂なのか。あるいは——彼が未来の子どもの姿ではないと誰が言い切れよう。大切なのは「あなた」が——語り手の「私」だけではない——この物語を読む「あなた」が、たっちゃんのことを覚えていること。

物語は、「私」から「あなた」への呼びかけで終わる。

あなたの国では、どんな花が咲きますか。
すさまじい力に打ち倒されてもまた咲いた、カンナのような花がきっとあなたの国にもあるでしょう。
あなたとも、いつか、そんな話のできる日が来ますように。

この最後の「あなた」、タイトルにもある「あなたへの手紙」は、この物語を読む人たちへの、そして失われた人々の声がまだ届いていない人たちへの、朽木の呼びかけであり、願いなのだろう。朽木祥の物語は、小さな明かりを一つずつ受け渡すように、次の世代へ、そして世界へとメッセージを運んでいく力に満ちている。『光のうつしえ　廣島　ヒロシマ　広島』（講談社、二〇一三）は、原爆投下から二十五年後の広島を舞台にした、記憶の受け継ぎの物語だ。この作品は英訳され、*Soul Lanterns* のタイトルで二〇二一年三月、イギリス、北米、カナダで刊行された。こうして翻訳されて世界に広島の物語が広がっていくのは、大きな希望だ。その希望は、最も小さな子どもの声とまなざしから生まれるのだと私は確信する。

命に線を引かない、あたたかな混沌の場所

――クラップヘクのヒューマニズムの懐に抱かれて

エルス・ペルフロム『第八森の子どもたち』

一九四四―五年　オランダ、アルネム郊外　ノーチェ　十一歳

『第八森の子どもたち』（野坂悦子訳、福音館書店、二〇〇〇／二〇〇七）は、第二次世界大戦末期のオランダで、ドイツ軍に占領された町を追われてクラップヘクという農家に身を寄せる少女の一冬を描いた物語だ。

十一歳のノーチェとクラップヘクの息子エバートの二人が、薄暗くなるまで森でそり遊びをしている。家に帰ると、晩ご飯の用意に忙しく働いている農家のおかみさん、ヤンナおばさんが子どもたちを迎える。ここまで読んだだけで、心はすっかりクラップヘクのあたたかい台所の湯気に包まれる。クラップヘクにはおやじさんたち一家五人と使用人のヘンク、ノーチェとその父、結核を患う青年テオ、町からやってきたウォルトハウスさんたち四人と一家の近所に住んでいたおばあさんの総勢一四人、牝牛や山羊、豚ににわとり、がちょう、犬のラッホーといった動物たちが一軒の農家でひしめきあって暮らしている。

ノーチェのいた時代

ノーチェがクラップヘクで過ごしたのは、オランダ北部が恐ろしい飢餓に苦しんだ年だ。物語の舞台である農家クラップヘクは、オランダとドイツの国境に近いアルネムという町の郊外にある。アルネムは、映画『遠すぎた橋』にも描かれた、連合軍とドイツ軍の激戦地だ。オランダは、一九四〇年五月からドイツに占領されていた。連合軍は一九四四年九月にライン川にかかる主要な橋を奪取するマーケット・ガーデン作戦を決行する。いくつかの地点は奪取に成功したが、ドイツ国境に一番近い最北端のアルネムの橋に向かった部隊は激しい戦闘の末にドイツ軍に包囲され、降伏する。戦死者は千二百名を超え、市民にも多くの犠牲者が出て、街道の農家も民家も避難民であふれた。ノーチェと父親も、このときアルネムから「服や毛布や本をかばんにつめこみ、自転車に縛りつけ、おおぜいの人の流れにまじって町を出た」のだった。

この作戦で占領から解放されたのは、オランダ南部だけだった。ロッテルダムやアムステルダムを含む北部は占領軍に包囲された。一九四四年から一九四五年にかけての冬は寒さがことさら厳しく、橋と水運を押さえられて孤立した地域のオランダでは、飢餓と寒さで約二万人の人が命を落とし、「飢餓の冬」と呼ばれる。

ジャガイモ一袋の値段は平均的な月収の五倍以上にもつり上がった。ユダヤ人物理学者アブラハム・パイスの回顧録『物理学者たちの20世紀――ボーア、アインシュタイン、オッペンハイマーの思い出』（杉山滋郎／伊藤伸子訳　朝日新聞社、二〇〇四）によると、運河がすべて凍りつく寒さの中、暖を取るために木でできたものは何でも燃され、棺にする木も手に入らず、埋葬されない死体が数週間も放置される中、人々はサトウダイコンやチューリップの球根を煮て食べたりして命をつないだ。

そんな時代に、この物語の主人公ノーチェと保険会社に勤めていた父親とは、アルネムを追われ避難民として二ヶ月ほどさまよったあげく、このクラップヘクまでたどりつき、終戦まで置いてもらうことになるのだが、作者のエルス・ペルフロムもノーチェと同じようにアルネムから家族で脱出し、この物語のクラップヘクそのものの農家にたどりついたという。『第八森の子どもたち』は、その経験がベースになっている。

「食料を探し求めて、いく千人、いく万人もの都会の住人が田舎へと向かった。ひどい栄養状態で、みすぼらしい身なりをした人びとが、徒歩あるいは自転車で、長く、灰色の列をなして」とパイスは書いている。この背景を考えると、クラップヘクが、戦争という大嵐の中に浮かぶノアの箱舟のように思えてくるが、この箱舟は閉じられてはいない。それどころか、追い返される人もなく、人々の飢えを満たし、人種や敵味方を問わず救いの手を差し伸べるサンクチュアリのようなところなのだ。クラップヘクには毎日だれかやってきて、ドアをたたいた。ヤンナおばさんは、おなかをすかせた人たちのために、必ず食事を多めに用意する。遠くから子どものミルクを求めてやってきた男性には、おばさんはこれからは週に二回、牛乳を取りにくるように言う。かたちばかりの安い値段で牛乳を分けてもらえることに、男性はとても驚く。大きな旧式の脱穀機でその年収穫した麦を大量に脱穀するときには、クラップヘクの周りに、袋や枕カバーを持った人たちがぐるりと列を作る。親父さんは、「幸いあれ！　気をつけてお帰り！」という言葉とともに、すべての袋にジョッキに二杯分の麦を分け与えていく。

クラップヘクの外で吹き荒れているのは、飢えだけではない。ホロコーストや優性思想といった、「血」をめぐるレイシズム。軍による収奪、空爆や前線をめぐる激しい戦闘。それらは時としてクラップヘクにまで押し寄せ、十一歳の少女に戦争のさまざまな顔を見せていく。生と死の間をさまよい歩いた放浪の二ヶ月からクラップヘクへと、激しく環境の変わったノーチェの五感を通して、読み手は子どもの目から見た戦争を体感することになる。

第八森に住むのは誰か

まだアルネムの町にいたころ、駅前広場に数百人もの人が列を作っていたことがあった。皆、黄色い星をつけている。駅に向かう行列をドイツ兵が銃を構えて監視し、広場はしんと静まりかえっていた。列の中には顔見知りの人もいた。ノーチェは彼らがどこに行くのか知らなかったが、異様な静けさがずっと忘れられずにいた。ナチスによるユダヤ人強制移送の光景だ。

ドイツに占領されていた国では、ユダヤ人の強制移送が行われていた。しかし、それぞれの国にいたユダヤ人たちがホロコーストによって死んでいった割合は国によって大きく違う。一番死者が多いのはポーランドで、実に国内の九〇パーセントのユダヤ人が死んでいった。オランダは七三パーセントと、その次に割合が高い。同様にナチスの占領下にあったノルウェーは四〇パーセント、フランスでは二五パーセントで、それにくらべてオランダはぐんと死者が多いのだ（『物語 オランダの歴史――大航海時代から「寛容」国家の現代まで』桜田美津夫著、中公新書、二〇一七）。

オランダで、なぜこれほど徹底したユダヤ人狩りが行われたのか。その理由についてはさまざまな議論があって簡単には説明できない問題だが、オランダに住んでいたユダヤの人々にとって暗黒の時代であったことは間違いない。この物語にも、弾圧から逃れようとした人たちが登場する。森の向こうのパン屋に配給のパンを取りにいった帰り道、ノーチェとエバートは空襲にあう。しばらく隠れていたせいで日暮れになってしまい、二人は近道をしようと、入ってはいけないと言われている森を通る。「森の中には、荒れ野よりずっと深い闇が広がって」いて、何やら恐ろしい雰囲気だ。そこで誰かの微かな足音を聞きつけたノーチェは、昔覚えた詩を、エバートに暗唱してきかせる。

「わたし、ここは『第八森』だと思うわ」（……）

「第八森にはね、子どもたちがかくれて住んでいるの。でも、ふつうの子どもたちじゃないのよ。わたし、その森の詩を知ってるけど、教えてあげましょうか」

第八森の子どもたち
お塩もなしに　ジャガイモ食べて
麦も入らぬ　おかゆをすすり
ねむるところは　星の下
だけど　ちっとも　寒くない

第八森の子どもたち
腕にも　足にも　おなかにも
毛がもこもこと　生えていて
それで　寒さを　感じない
凍えつくような夜だって
いつも　ぬくぬく　あったかい
第八森の　闇の中

この詩の原典は確認できなかったのだが、センダックの『かいじゅうたちのいるところ』を連想するようなユーモラスでブラックな味わいのある詩だ。この詩の子どもたちには、もこもこ毛が生えている。つまりけものに近いものに変身しているらしい。伝承のようなものから生まれた詩なのだろうか。だとすると何を暗示しているのだろう。その昔、森に捨てられた、もしくは迷子になってしまった子どもたちの安全を願う思いがこめられているのだろうか。

詩を思い出したノーチェの勘は当たっていた。クラップヘクの家畜小屋で牝牛が仔牛を産み、命が生まれ出る瞬間をノーチェがはじめて見たその夜、ヤンナおばさんを訪ねてきた見知らぬ男の人と、おばさんに連れられて、ノーチェは入ってはいけないと言い渡されていたこの森に向かう。

森の中に地面を掘り固めた穴が作られ、そこには幼い男の子二人を連れたユダヤ人のメイアーさん一家が隠れていた。ヤンナおばさんは、ヘンクと一緒に、この一家に食べ物や生活の品々をこっそり届けていたのだ。メイアー夫人は三人目の赤ちゃんを産もうとしており、ノーチェは上の男の子たちにお話を聞かせて寝かしつける。ねずみにかえる、うさぎ、きつね、いのしし……ひとつの小さな手袋の中に、いろいろな動物が次々に入ってきて仲よく暮らすウクライナの民話、『てぶくろ』。どんな境遇の人でも、血が繋がっていなくても、困っていれば手を差し伸べる——そんなクラップヘクと重なるお話を幼い兄弟に語ってきかせるノーチェは、クラップヘクの精神を子どもならではの素直さで理解している。そしてヤンナおばさんも、そんなノーチェをひとりの人間として信頼し、ユダヤ人一家の秘密をこの少女と共有したのだ。

ノーチェは、泣きたいような、笑いだしたいような気分でした。こんなにふしぎで、おかしいできごとを見たのは、生まれてはじめてなのです。（……）赤ちゃんは、長いひものようなへその緒を小さなおなかにくっつけたまま、お母さんのおなかの上におかれました。かわいい口がぴくっと動いたかと思うと、その口を大きくあけて、赤ちゃんは泣きだしました。ホギャア、ホギャアと、とても大きな声で泣いたのです！

森の中の狭い隠れ家に生まれてきたこの命の輝かしさ。ナチスは「血」の純粋さに強いこだわりを持っていた。純粋なアーリア人以外は劣等人種。それがどんなに愚かな考え方であるかを、この赤ちゃんの存在が教えてくれる。生まれ落ちた女の赤ちゃんはサラと名付けられ、潜伏生活でお乳が出ない夫人にかわって、クラップヘクでノーチェが中心になって育てることになる。見つかれば逮捕されてしまう危険なことなのだが、クラップヘクの人たちは迷いなく、赤ん坊を受け入れる。

しかしある日、ヘンクが手つかずの食べ物を持って森から帰ってきた。メイアーさん一家の姿は森から消えていたのだ。踏み荒らされた穴の内部を見れば、彼らが誰かに密告され、連行されたことは明らかだった。ノーチェが『てぶくろ』の物語を語って聞かせた幼い子どもたちも、産後で体の弱っていた美しいメイアー夫人も、きっと収容所に到着するとすぐに選別されてガス室に送られただろう。強制収容所では、弱者は一番に殺された。生き残ったのは、クラップヘクにいたサラだけになってしまった。クラップヘクは悲しみに包まれる。

その夜からすべてが変わってしまいました。家の中の明るい雰囲気が消えてしまったのです。ノーチェとエバートは、どうやって遊んだらいいのか、わからなくなりました。ふざけて笑ったりしていても、とつぜん笑顔をうしない、凍りついたようになってしまうのです。口にしてはいけないことを心にかかえ、二人は急に大人びてしまったようでした。

ナチスがユダヤ人の身元を洗い出すやり方は、巧妙をきわめていた。さまざまな法令や布告、通達などを駆使してユダヤ人の身元を割り出し、職業と財産を奪って孤立化を図り、ついには連行していった。占領下のオランダでは、オランダ人親衛隊や国家社会主義政党の党員によって組織された志願予備警察隊が、ドイツで訓練を受けたあと、それぞれの故郷でユダヤ人追跡の任務についていたという。暮らしの中に常に監視と密告があった。戦争末期には、ユダヤ人を逮捕した志願予備警察隊には多額の懸賞金が支払われた。（ダイアン・ローレン・ウルフ『「アンネ・フランク」を超えて――かくまわれたユダヤの子供たちの証言』小岸昭訳、岩波書店、二〇一一）。あらゆる人々の恐怖心、欲望、保身、差別意識に働きかけて「民族浄化」を推し進めようとしたのだ。このメイアー一家のエピソードは、ノーチェが駅前広場で見たユダヤ人の強制移送の記憶から始まり、最後にサラが旅だっていくまで、この作品の中に常に影を投げかけている。

クラップへクで暮らしはじめてすぐに、ノーチェには「これまでの生活が、はるかむかしのことのよう」に、「どこかに住む、知らない女の子の話のよう」に思えてきた。町育ちのノーチェがはじめて経験する農家の日々。クラップへクでは、子どもたちは守られ、安心して子どもの時間を生きている。ノーチェとエバートは農家の仕事を手伝いながら思うさま遊び、へンクのつくる巻きたばこの葉を失敬して吹かしてみたり、秘密の宝物――荒れ野で見つけたドイツ兵のヘルメットや銃――を集めてみたり、大人たちに内緒で屋根に登って遊んだりと子どもの喜びを満喫する。この物語が与えてくれる愉しみの一つは、いつの時代も変わらぬ、この子どもの時間を感じることだが、あたりまえに思えるこの時間も、実はこの時代の中では暁光のように儚く、脆いものであることが、メイアー一家の子どもたちの物語から浮かび上がる。

物語のタイトル *De kinderen van het achtste woud*――第八の森の子どもたち――がノーチェの口ずさんだ詩からとられていることは、象徴的な意味を持つ。森に隠れてぬくぬくしていた子どもは、過酷な戦争の中で、クラップヘクという奇跡のようなシェルターに守られて暮らしていたノーチェ、そして、少女の頃の作者の姿そのものだろう。彼女たちの「クラップヘク」の外では、メイアー一家の幼い男の子たちのように、遊びたいさかりに息を潜めて穴の中に隠れていたにもかかわらず、時代の闇に飲み込まれて帰ってこなかった子どもたちが数限りなくいたのだ。

戦争が殺してしまう子供の数を誰が数えられるでしょうか？　戦争は子供たちをしらみつぶしに殺してしまいます。この世に生まれた者たちも。生まれるはずだった者たちも。（……）

戦争の惨禍を経験した幼児(おさなご)は幼児といえるでしょうか？　子供の日々を誰が返してくれるでしょうか？　かつて、ドストエフスキイは、「たった一人の子供といえども、その苦しみを代償にして社会全体の幸せを得ていいのだろうか？」と問いました。

ところが、その苦しんだ子供が一九四一年から一九四五年の間には何十万といたのです。

（『ボタン穴から見た戦争――白ロシアの子供たちの証言』スヴェトラーナ・アレクシエーヴィチ、三浦みどり訳、岩波書店、二〇一六）

ナチスの「浄化」と、命に線を引かないヒューマニズム

『第八森の子どもたち』は、ノーチェという少女の目を通して戦争の日々を描いた物語であると同時に、暴力の暗闇の中に消えていった子どもたちに捧げた物語でもあるのではないだろうか。それを感じさせるのは、いつもクラップヘクの中心にいる「おねえちゃん」の存在だ。

クラップヘクのおやじさんとヤンナおばさんの間には三人の子どもがいる。長男はノーチェと仲良しの十二歳のエバート。一番下の弟のヘリットは五歳で、真ん中の「おねえちゃん」は七歳だ。彼女にはウィレミーンチェという名前があるのだが、皆に「おねえちゃん」と呼ばれている。生まれつき脳に障害があり、目もよく見えず、歩くこともできない。おねえちゃんは台所に子ども用ベッドを置いてもらって過ごしている。ヤンナおばさんは、おねえちゃんが生まれたときの心労で、若いのに髪が真っ白になってしまったが、おねえちゃんを片時も離さず可愛がっている。この家の中心である台所には、いつもヤンナおばさんとおねえちゃんがいる。

おばさんはベッドの上に身をかがめ、おねえちゃんの体をだきおこします。ベッドのまわりは、ぬれたおしめのにおいがしました。でも、むっとするようなそのにおいに、ノーチェや家の人たちは、もう慣れっこになっていました。台所に入れば、ストーブのぬくもりや、おねえちゃんの気配を感じます。おしっこのにおいも、そんな台所の空気にとけこんでいました。

この空気は、クラップヘクそのものの親しみ深い匂いとして、ノーチェの心に刻みこまれている。

しかし、おねえちゃんのように障害のある子どもたちが、ドイツ国内で多く殺されていったのだ。戦争というのは、国と国との間にくっきりと線を引くことから始まる。そしてナチスは、国だけではなく、人と人の間にも線を引いた。精神疾患を持つ人や障害者も「安楽死」という名目で殺害しつづけた（ヒュー・G・ギャラファー『ナチス・ドイツと障害者「安楽死」計画』長瀬修訳、現代書館、一九九六）。彼らが目指したのは、優秀な遺伝子だけでできた、選ばれし民の国だ。国内のすべての長期入院用病院、療養所、保護施設に患者の登録用紙が送られてきて、細かい病状や病歴などを記入し返送することが義務づけられた。その内容によって何段階かの審査を経て、死の選別が行われる。安楽死が決定された患者はハダマーの精神科病院など六ヶ所の施設に移送され、シャワーを装ったガス室で「安楽死」させられる。正確な犠牲者数は不明だが、一九三九年に三十万人いた精神病患者は、一九四五年には四万人に減った。また子供計画として、五千を超す障害を持った乳幼児が薬物で殺されたというが、この数も氷山の一角だという。

ドイツ国内にいれば、間違いなく安楽死させられていただろう「おねえちゃん」のおしっこと、代用コーヒーと、バターをつけたパンと、豆のスープの匂い。湯気のこもった明るい台所は、命に線を引かない、あたたかな混沌に満ちた場所なのだ。

おやじさんとヤンナおばさんの生き方の根っこに、まず信仰があるのは間違いないところだ。おやじさんとヤンナおばさんは敬虔なキリスト教徒だ。おやじさんは、戦闘が激しくなり皆が地下室に避難するときも自分の寝室から離れない。心配するおばさんに、おやじさんは「ヤンナ、わしのことなら心配するな。わしらの命は、神さまが決めてくださるんだ」と言う。ドイツ兵が何十万人やってきても、おやじさんは自分の生き方を変えない。脱走したドイツ兵であろうと、飢えている人間がいれば食事をさせる。クラップヘクに招き入れるものは、すべて「わしの客」であるという信念がある。

そして、もうひとつはこの「おねえちゃん」の存在にあるのではないかと私は思う。ナチスは恐ろしい殺戮を行ったが、その発想の元になる優生思想の広がりはナチスに限ったことではなかった。アメリカはドイツより二十六年も前に優生思想による障害者の断種を行っていたし、デンマーク、フィンランド、スウェーデン、アイスランドも断種政策を実行していた。日本でも実に一九九六年まで、障害者などに対する強制不妊手術が合法だったのだ。その経緯を記した公文書が発見されてニュースになったのも、二〇一七年のことだ。障害を持つ人々への差別は根深い。

おねえちゃんが生まれたとき、すべてを神の手にゆだねるとは思っていても、そこにはやはり苦しみがあり、葛藤があったはずだ。そのおねえちゃんを一家の中心に置いて守り抜こうと思ったとき、この夫婦は多数派として生きている人々とは違う眼差しを手に入れたのではないか。常に弱いもの、差別されるものに心を寄せるヒューマニズムが、このクラップヘクのすべての場面で貫かれている。

しかもクラップヘクのヒューマニズムの懐はもう一つ奥が深い。クラップヘクに避難させてもらっているにもかかわらず、ウォルトハウス家の娘たちはおばさんの留守の間、おねえちゃんの世話を一切せず、おしめが濡れたおねえちゃんが泣き叫んでもほったらかしだ。しかし、そんなことがあっても、おやじさんとヤンナおばさんは、ウォルトハウスさん一家と暮らしていく。

農家では家畜を育てて乳を絞り、豚や山羊はつぶして食料にする。いつも生と死が暮らしの中にある。ノーチェが、これから食べられてしまう牡山羊にこっそり干し草を与え、抱きしめる場面がある。お腹を空かせて鳴いている山羊がかわいそうでならなかったのだ。ノーチェは山羊の黄色い目をのぞきこみ、その眼差しを受け止める。満月の光が、牧場にもノーチェたち人間にも銀色に降り注ぎ、猫の目が緑に光る。老犬のラッホーまでうさぎを狩ってくる。どこか野性が目覚めるような印象的な夜だ。

翌朝、ノーチェは、潰された山羊の肉を美味しく食べる。食べることは喜びであり、その営みは他の生き物の命を奪うことで成り立っている。この原理原則の前には、国境も人種も何の違いもない。クラップヘクの「死」は命に密接に結びついている。まず、生き延びよ。この命題がクラップヘクでは貫かれているのだ。

クラップヘクの外に満ち溢れている「死」、ナチスの推し進めた「浄化」は、まったく命に結びつかないただの殺戮であり、闇に飲み込まれるような「死」だ。この方向性が、物語の中で繰り返される食事のシーンのたびに素直に読み手に伝わってくる。豆のスープや搾りたての牛乳、麦のおかゆやベーコンとチーズをはさんだライ麦パンが、どんなに美味しそうに思えることか。台所の真ん中にいるヤンナおばさんは、人々に糧を与え、命を祝福する女神であり、おねえちゃんは女神の深い愛の源泉なのだ。優生思想という狭い物差しで切り捨てられる存在だったおねえちゃんが、そこで慈しまれて生きているということが、ノーチェ親子をはじめ、クラップヘクの扉を叩いた多くの人々の命が助けられたことと深く繫がっている。さまざまな人が共生できる豊かさと喜びを、ペルフロムはみごとに描き出したのだ。

レジスタンスと少年兵

やっと雪解けの季節になり、牛たちを牧草地につれていく季節になると、連合軍はようやくライン川を越え、再び攻勢に立つ。それと同時に、クラップヘクも大きく戦いに巻き込まれていく。何十人ものドイツ兵がやってきてクラップヘクで宿営をはじめた。ドイツ兵たちはクラップヘクの納屋や作業小屋、母屋の応接室まで占領し、大声で騒いだり、子どもの前で手榴弾を遊びで爆発させてみたりと分別がない。戦争も末期になって、軍隊としての規律がゆるんでいる様子が見てとれるが、この大騒ぎに一番辛い思いをしたのは、ドイツに対する抵抗運動に身を投じていたテオだ。テオは、自分がクラップヘクにいることで皆に迷惑をかけるのを恐れ、ドイツ兵がうじゃうじゃいるクラップヘクから逃れようと、仲間に連絡をつける危険な任務をノーチェとエバートに頼む。町に自転車で出かけ、テオの同志を訪ねた二人は、脱出の手順をテオに伝え、同志の迎えの車がやってくるのを六日間クラップヘクで見張りつづけて彼を脱出させる。

隠れ家にいるユダヤ人を密告する人もいれば、テオのように抵抗運動をしていた人たちもオランダにはたくさんいた。六十の地下組織によるビラや刊行物がこっそり印刷され、回し読みされたというし、サラのようなユダヤ人の子どもたちをかくまう運動もひそかに行われた。物語のテオは生き延びたが、レジスタンスは危険な行為だった。スヴェトラーナ・アレクシエーヴィチ『ボタン穴から見た戦争』には、占領軍に抵抗したパルチザンに対する数々の弾圧の記憶が語られているが、残虐という言葉では生易しいほどの痛ましさだ。アブラハム・パイスによると、二千人から三千人の人々がオランダ国内で処刑されたという。

このテオのエピソードは、レジスタンスへのペルフロムの敬意を感じさせるが、あの頃抵抗運動で命を落としていった若い人たちを、せめて物語の中だけでも救ってやりたいという思いもあったのではないだろうか。

ペルフロムのこの思いは、敵国の少年たちにも寄せられる。宿営していたドイツ兵が去ったあと、戦闘の前線はますます国境に近づき、クラップヘクの近くまで追ってきた。すると、今度は農場の家畜小屋に大勢の少年兵がやってくる。ナチスは、青少年組織「ヒトラー・ユーゲント」をつくり、自分たちの思想をたたき込み、戦場に送り込んだ。戦争も末期になると、招集される年齢はどんどん低年齢化し、わずか八歳の子どもまでいたという。クラップヘクにやってきた少年兵たちは、あちこちに「たこつぼ壕」というお腹まで隠れる穴を地面に掘る。イギリス軍がやってきたら、その中に隠れて弾がなくなるまで撃つのだという。これは特攻隊と同じ、少年たちの命を物のように使い捨てする作戦だ。「ぼくはこわいんです」「ぼくらは、みんな死ぬんです」と恐怖で大粒の涙を流す少年は声変わりもしていない。

第二次世界大戦の末期、日本軍も沖縄戦で少年たちを「鉄血勤皇隊・通信隊」として戦争に駆り出した。NHKの戦争証言アーカイブスに、そのときに少年兵だった方々の証言が収録されている。ほとんど何の装備もなく銃撃戦に放り込まれ、食べるものもなく、次々に仲間たちが死んでいく。日本軍は投降しようとする者を叩っ斬り自決を迫る。その記憶を語る声と、このドイツ軍の少年兵の声が重なってしまう。陥落間近のベルリンには一万五千人のユーゲントが投入されたという。そのうち何千人もの少年たちが死んでいったのだ（B・R・ルイス『ヒトラー・ユーゲント——第三帝国の若き戦士たち』大山晶訳、原書房、二〇〇一）。

農場の間近で戦闘が行われている夜、地下室の戸が開き、一人の少年兵が逃げ込んでくる。そして、「ぼくは、もう行かない！　行くもんか！」と叫ぶのだ。怯えきって、おもらしして泣く彼を、ウォルトハウス一家とともに身を寄せているおばあさんは、「かわいそうな子だよ」と、なぐさめる。少年兵はおばあさんにもたれ、ただの子どもに戻ってつかの間の眠りをむさぼるが、再び上官に連れられていってしまう。

戦争が終わったあと、連合軍はドイツ軍の兵士の中に多くの子どもがいることに驚いたという。最後の最後まで戦い、壮絶な最期を迎えた少年兵も多かった。生き延びたとしても、戦場の記憶は人生に暗い影を落とし、心と体を深く傷つけたはずだ。その魂を、つかの間クラップヘクに招き入れ、眠りを与えたペルフロムの思いを想像すると切ない。

子どもたちの戦争は終わらない

戦争は終わった。かつてなく美しい春とともに平和が戻ってきた。ウォルトハウスさんたちは町に引き上げ、ノーチェの父も仕事を再開しようと動きはじめた。クラップヘクも落ち着きを取り戻していく。しかし、ノーチェはすべてがいきなり変わっていくことに取り残されている。すっかり馴染みきったこの場所から自分が出ていかねばならないことを、頭でわかっていても心がついていかないのだ。

そんなとき、いつもクラップヘクの中心にいたおねえちゃんが突然ジフテリアで死んでしまう。死が彼女の魂の姿を洗い出したように、きれいな、やさしい顔をした「ウィレミーンチェ」という女の子に戻って死んでいく。片付いてしんとした台所は、別の場所のようだ。そして、ノーチェが育ててきたサラも、メイアー夫人のお兄さんがアメリカに連れていくことになり、クラップヘクから旅立っていく。ずっと面倒をみてきた可愛いサラを「うちの子」にしたいと思うノーチェに、ヤンナおばさんがかけた言葉が印象的だ。

「子どもっていうのは、だれのものでもないんだよ、ノーチェ。おねえちゃんだって、あたしたちのものじゃなかった。あたしたちは面倒をみてやるだけなんだ。神さまがさずけてくださったものを、神さまが、またつれていかれるんだよ」

子どもは「だれのものでもない」。親のものでも、家のものでも、国家のものでもない。「うちの子」であるおねえちゃんも、「よその子」であるノーチェもサラも、ヤンナおばさんにとっては、子どもであるというだけで愛情を注ぐべき、かけがえのない存在。人種も国籍も、能力も、病気のあるなしも関係なく、ただ存在していることが尊い。クラップヘクでノーチェが味わっていた楽しい子どもの時間と安らぎは、このヒューマニズムが生み出す伸びやかさがあったからなのだ。

ドイツがオランダを占領してから、解放までほぼ五年。ノーチェにとって人生の半分近くをずっと戦争の中で暮らしてきた。ノーチェは戦争しか知らない「戦争の子ども」なのだ。父に連れられてクラップヘクを去り、アムステルダムでの新しい暮らしに慣れていったノーチェだが、授業を受けていても、ふと気がつくと心はクラップヘクのあたたかい台所に帰っていき、ぼんやりして、先生に注意されてしまう。

けれども、なにをいわれているのか、ノーチェにはよくわかりません。ただノーチェはやりばのない怒りを感じるのです。なぜ、わたしは、あのあたたかい台所からひきはなされ、知らない人ばかりの教室にすわっているのか、と。

二ヶ月の行き場のない放浪の末にたどり着いたクラップヘクの台所は、親鳥の羽に包まれるような安心をノーチェにもたらした。そこには大勢の家族と動物たち、可愛い赤ん坊がいた。ありとあらゆる境遇の人々がやってきて、ノーチェの前で食べたり飲んだりし、ある人は生きて、ある人は死んで去っていった。クラップヘクにいたのは半年あまりだが、ノーチェにとっては永遠とも思えるほどの濃密な時間だったのだ。

ノーチェは戦争という過酷な環境に適応するために、もこもこ毛を生やし、森で生きていた。そこで命のあたたかさを皆で分け合ってぬくぬく暮らしていたではないか。戦争が終わったとたん、森から出ていかなければならなかった子どもは、毛が生える前の元の姿に戻れなかったのだ。ノーチェはペルフロムの分身だ。もこもこした違う姿になってしまった自分を、ペルフロムは大人になってからもずっと心の中に抱きつづけたのではないだろうか。そうでなければ、深い喜びと悲しみを秘めたこの作品、生きる喜びをたたえながら、戦争を鋭く捉えた『第八森の子どもたち』は生まれなかっただろう。

空爆と暴力と少年たち
——顔の見えない戦争のはじまり

ロバート・ウェストール『〝機関銃要塞〟の少年たち』

一九四〇年頃　イギリス北東部の海辺の町

チャス　十四歳

ロバート・ウェストールは、生涯を通じて戦争と深く関わる作品を描きつづけた作家だ。デビュー作『〝機関銃要塞〟の少年たち』（越智道雄訳、評論社、一九八〇）は、撃墜されたドイツの爆撃機から機関銃を持ち出した十四歳の少年チャスが、仲間とともに大人の支配の届かない自分たちの〝要塞〟を作る物語だ。一九七五年、ウェストールは初めて書いたこの作品で、イギリスの図書館協会がその年のもっともすぐれた児童文学作品に贈るカーネギー賞を受賞している。しかし、この受賞には異論を唱える人たちもあったようだ。それは、この作品が戦争と少年たちの暴力を、歯に衣着せぬ率直さで描いているからだ。下品な言葉と暴力シーンが多くあること。そして驚くような信じがたいプロットの展開が、「迫真性がない」と批判されたという（三宅興子『ロバート・ウェストール　現代英米児童文学叢書11』KTC中央出版、二〇〇八）。この評価は、ずっとウェストールの作品についてまわることになる。しかし、彼の描く暴力は、暴力を肯定し、おもしろがるためのものではない。ウェストールほど近代国家に生きる子どもたちと暴力について何度も深く掘り下げて描いた作家はいないのだから。

機関銃は何を増幅させたのか

ウェストールが生まれ育ったのはスコットランドに近いイングランド北東部ノーサンバーランド州ノースシールズという海辺の町だ。作品の多くはこのあたりが舞台になっている。ドイツに直接侵攻されたオランダやフランスなどの他のヨーロッパの国々とは違い、イギリスは本土への上陸侵攻は受けていない。ドイツの対イギリス攻撃は空爆が主で、北海を隔ててオランダ、ドイツと向き合うこの土地にもドイツ軍による空襲があった。一九二九年生まれのウェストールの経験が、そのままチャスたちの物語に活かされている。

戦時下の空爆を描いた児童文学作品というと、戦争の悲惨にうちひしがれる子ども、という図を想像しがちだが、ウェストールの目線は違う。少年ならではの敏捷さと知恵で大人を出し抜き、自分たちの要塞を作り上げるしたたかさがこの作品の魅力だ。秘密基地に、信頼できる仲間。平和なときなら、子どもの楽しさを満喫できるシチュエーションだ。しかし、戦争という、平時なら隠しおおせる人間のさまざまな本質がむき出しになる状況下で、大人を凌ぐ武器を手にした少年たちの中に生まれ、増幅していくものを、ウェストールは歯に衣着せぬ率直さで描いていく。

物語は主人公のチャス・マッギルが防空壕の中で目覚めるシーンから始まる。昨夜空襲があったが、幸いなことに、自分も両親も生きている。しかし、近所の八百屋の娘は体がまっぷたつになって死んでしまった。チャスにとって戦争は日常だ。母親が揚げたパンを食べたあと、少年はさっそく、同級生たちに自慢できる戦争コレクションを探しに出かける。空襲のあとは、いいものを拾えるチャンスなのだ。

チャスは林の中に吹き飛んでいたドイツのハインケル爆撃機の尾部を見つける。その残骸には、ドイツ兵の死体と黒々と光る機銃がそのまま残っていた。おそるおそる死体にさわってみるチャス。

かれはいっそのことつかまっている機体から手をはなして地面へすべり降り、家へ逃げて帰りたかった。しかしなぜかかれはそうはしなかったのだ。死者に魅入られてしまっていたのかもしれない。思わず手をさしのべて、手袋に包まれた相手の手に触れてみた。羊の革の中で指が鉄みたいにコチコチになっている。腕も、いや全身が、硬直していた。つつけば動きはするが、彫像かおもちゃの兵士みたいに、かた苦しい動きしかしない。ハエがとびたって、うるさく騒ぎたてた。ゴッグルの内側には深々と赤い穴が開いて、そのなかにつまっているものときたら、たとえば……。チャスは機体からすべり降りると、ニヒト・アンファッセン〔触れるな〕と書かれた小さなドアにもたれて、はげしくはいた。

爆撃機には、操縦士のほかに頭部と尾部にそれぞれ銃手がいて、機体には機関銃が備え付けられている。死んでいたのは銃手だ。これは大切なところだ。なぜなら、のちにドイツ軍の銃手がチャスの前に再び現れてくるのだから。このとき、ゴーグルの内側に穿たれた「穴」を、チャスは見てしまった。死に直面したときの恐怖。命が失われるときの肉体と魂の慄き。そのあとに訪れる空虚。言葉を尽くしても語り切れない何かがそこにある。チャスは死体に恐怖を覚えるが、その一方で「こわくても、いやこわいからこそ、かれはその機関銃がほしかった」

当時の少年たちが競うように集めていた焼夷弾の尾びれや空薬莢といったコレクションとはわけが違う、高い殺傷能力を持った正真正銘の兵器。四〇〇メートル離れた煉瓦塀も打ち抜ける。チャスはクラスメートの〝墓場っ子〟ジョーンズと、大柄で性格も少年っぽいオードリーを巻き込み、とても子どもとは思えない知恵を使って爆撃機の尾部から機銃を取りはずすことに成功する。大人に知れてしまえば取りあげられる。事実、物語が進むにつれて、大破したドイツ機から何者かによって持ち去られた機銃を追って、警察がチャスのまわりを動きはじめる。

武器を手にする、ということが人間の中のどういう部分を増幅させていくか、人の心の中で、どのように憎しみが膨れあがり、暴走していくのかを、ウェストールの作品を読むたびに考えさせられてしまう。チャスは低空飛行でこちらを狙ってくるドイツ軍の戦闘機のパイロットをにらみつけ、今、この瞬間、自分の手元にあの機関銃がないことに地団駄踏んで悔しがる愛国少年だ。黒い機関銃が呼び覚ました、少年の体から突き上げる正義感と力への欲望は、この時代の戦争の大義と現実に重なっている。

二人のマッギルの戦争

実はチャスには機関銃に対するもう一つの思い入れがあった。それは、第一次世界大戦に従軍した祖父の姿だ。カパレットー（カポレット、現・スロベニアのコバリード）でドイツ・オーストリア同盟国軍とフランス・イギリス軍に支援されたイタリア軍が闘ったが、イタリア軍は大敗走する結果となり、三十万人が捕虜になったという。チャスの祖父はその戦闘に従軍し、白兵戦でオーストリア兵を刺し殺している。そのとき、祖父は相手のバッジ――帽章だろう――を奪ったが、その後ずっと敵兵が夢に現れ、バッジを返せと頼むのだ。祖父は二十五年もの間、おそらくは戦争恐怖症にかかっている。やかんのふたがカタカタいうのを聞くだけで、地獄の塹壕戦にタイムスリップしてしまい、「射程距離？　三七五。撃ち金起こしました。二百発発射ずみ。（……）」と、うわごとのようにつぶやきながら、その場に無い機関銃を発射するのだ。そのチャスの祖父の姿は、ほぼそのままウェストールの祖父の姿だ。ウェストールの祖父は塹壕戦で毒ガスにやられ、生涯胸の病に苦しんだ。

いつもの発作を起こしたあと、うとうとしている祖父をじっとチャスが見つめるシーンがある。

（……）おじいちゃんの口のなかは、ぞっとするほど暗かった。チャスはその口のなかにひきつけられ、その暗さのなかになにがあるのか見きわめようとして、じっと見つめ続けた。

その暗さは、死んだ銃手の眼窩の中にもあったものだ。空襲で壊された祖父の家の物置で、祖父がずっと持っている、塹壕の中で使っていたヘルメットを見つけたチャスは、発作中の祖父と同じセリフをつぶやきながら「ドイツ兵どもは、新しい機銃を備えた、もっと若いマッギルとあいまみえることになるのだ」と思う。後に自分たちの要塞を〝カパレットー要塞〟と名付けるチャスは、祖父の分も戦うつもりでいる。祖父の中に眠っていた戦争が、黒光りする機関銃とともに、再び自分のところにやってきたのだ。チャスのこの実感は間違ってはいない。戦争は繰り返しやってきては若者たちを傷つけ、殺し、底の見えない地獄に叩きこんできたのだから。

チャスは色白の美少年ニッキーの家に機関銃を隠そうと思いつく。ニッキーは汽船の船長の息子だが、父親は航海中にドイツの機雷で死んでしまった。豪壮な邸宅は水兵の宿舎になり、母はそこで海軍中佐と情事にふけっている。大人たちは皆そのことを知っていて、ニッキーの家を毛嫌いしている。機銃を隠すには「つごうのいい場所」だ。隣のクラスの数人から烈しいいじめを受けているニッキーに恩を売り、仲間にするために、チャスはいじめの首謀者であるボッザと一対一の殴り合いをするが、体格がまったく違うボッザには正面から向かっても勝ち目はない。そこでチャスは小道具を使う。ブリキのガスマスク入れでボッザを思い切り殴るのだ。ネットで検索すると、第二次世界大戦中に使われていたガスマスクの画像がたくさん出てくるが、まがまがしい雰囲気を漂わせるグロテスクなものだ。そのガスマスクのケースを振り上げ、ボッザを殴った瞬間、長年溜め込んでいたボッザへのうっぷんがチャスの中で爆発し、無抵抗になったボッザをもっと叩きのめしたい欲望が吹きあがる。

ウェストールは子どもの中にある憎しみや怒りの激しさから目をそらさない。二回目のカーネギー賞を受賞した『かかし』（金原瑞人訳、徳間書店、二〇〇三）は、母の再婚相手に抱く少年の嫉妬と憎しみが、古い水車小屋に潜んでいる邪悪なものと結びつき、かかしとなって迫ってくるという作品だ。ウェストールが書く、性や家族に対する複雑な感情が思春期の少年の中に荒れ狂う「児童文学」には、大人にとって都合のいい子どもの姿など無縁の存在なのだ。チャスはボッサを叩きのめし、大怪我を負わせるが、この一件で校長はチャスにきつい鞭打ちという拳ではないものを使った罰を与える。権力のある大人なら武器を使うことが許されて、子どもには許されない、というわけだ。「大英帝国の人間なら武器は使わない、拳だけで闘うもんだ」と鞭をふるう校長に、チャスは納得できない。「しかし、こっちが小さきゃ、どうすりゃいいってんだよ？」とうそぶくのだ。

チャスの頭上では毎日爆撃機と高射砲が銃撃戦を繰り返している。空爆の応酬は、テクノロジーの応酬でもある。新しい戦闘機、都市を効果的に焼き払うための焼夷弾の開発。イギリス空軍と組んでドイツを爆撃したアメリカはドイツと日本の町並みのモデルを作り、延焼実験を繰り返した。どれだけ殺傷能力が高い兵器と方法を開発するかに、各国の研究者が血眼になって取り組んでいた時代だ。

第二次世界大戦はドイツのポーランド侵攻から始まった戦争であり、イギリスにはヨーロッパを征服しようとするナチスと闘うという大義名分がある。国王とチャーチルのもと、ロンドンへの度重なる空爆にも耐え、国民の士気は下がらなかった。それは、自分たちは正義のために闘っているという物語、つまり「拳で闘う」精神を信じていたからだろう。大人たちの言葉からもそのことが窺える。もちろん、イギリスが不屈の姿勢を見せたことで、ヒトラーはもともと乗り気でなかったとはいえ、イギリスへの上陸作戦をあきらめたし、連合軍が勝利したからこそ、ヨーロッパはナチスから解放された。しかし、正義はいつも過剰な力を生んでしまう。自分とニッキーを守るために使った武器が、チャスの溜め込んでいた憎しみをほとばしらせるように。子どもは常に大人から暴力を学ぶのだ。

空爆はどれだけ正義を装ったところで無差別攻撃による大量殺戮にほかならない。第一次世界大戦では泥沼の塹壕戦が長引き、九百万人もの若者の命を失った。その点、敵国民の士気をくじき短期間で降伏させることができる空爆は、結果的に犠牲者は少なくてすむので「人道的」な戦略だという考え方が主流だった（『反空爆の思想』吉田敏浩、ＮＨＫブックス、二〇〇六）。ところが、その「人道的」という言葉とはうらはらに、イギリスとアメリカがドイツに行った空爆によって、およそ六十万人の非戦闘員の人々が死んでいった。死者の数で悲劇の目盛りが上下するのではないということをわきまえつつも、戦争の末期に近づいていくにつれ拡大する空爆での死者の数を見ると暗然とする。『ドイツを焼いた戦略爆撃　1940-1945』（イェルク・フリードリヒ、香月恵里訳、みすず書房、二〇一一）はドイツ爆撃の詳細な記録だが、男たちが徴収され、老人と女性と子どもばかりが残った町の、低所得層の人々が密集して暮らす地域を選んで爆撃が行われる様子が胸に痛い。焼夷弾が絨毯のようにばらまかれると、火災嵐という現象がおこり、大気そのものが生存に適さない状態になる。その中で焼き尽くされる人々の姿は東京や大阪の大空襲、そして原爆が投下された広島や長崎を思い起こさせる。

ウェストールは『アドルフ』（『遠い日の呼び声　ウェストール短編集』野沢佳織訳、徳間書店、二〇一四所収）という短編で、戦争の加害の記憶に生涯取り憑かれた老人の姿を描いている。ちょび髭にぴったりなでつけた白髪。生きながら空襲で焼かれていったドレスデンの子どもたちの話ばかりする彼の名は、アドルフ。ふとしたきっかけで彼におつかいを頼まれるようになった少年ビリーは、アドルフを本物のヒトラーだと思い込むようになる。物語の舞台となっている時代とアドルフの年齢を考えると明らかにおかしい話なのだが、戦争の話ばかりしているアドルフの言動から、少年がそう思い込む過程を読み手に納得させる展開がみごとだ。その思い込みがきっかけでナチスの戦争犯罪人がいるという噂が広がり、アドルフじいさんはスキンヘッドの若者たちに襲撃されてしまう。実は、彼は第二次世界大戦で六十七回の爆撃任務についた元ポーランド空軍の「英雄」だった。彼の最後の出撃がドレスデンへの空爆だったのだ。

ウェストールにとって、空爆によって殺され、または人生を変えられてしまった人間の姿は一生のテーマであり、それは九〇年代に書かれた『海辺の王国』『弟の戦争』という作品にも繋がっていく。

自分たちだけの要塞——誰と戦うための？

ボッザとの喧嘩でやりすぎたチャスは、クラスメートから仲間はずれにされてしまう。しかし、学校が爆撃を受けて授業ができなくなり、〝墓場っ子〟やオードリー、後から仲間に入れたクロッガーと〝にんじん汁〟も、時間をもてあましてニッキーの家の庭に集まり、自分たちだけの〝要塞〟をそこに作りはじめる。アンダースン防空壕（家庭用簡易防空壕）を利用して土や石、セメントで大人顔負けの要塞を作り、そこに機関銃を持ち込む。ところが、空襲でニッキーの屋敷が破壊されたのをきっかけに、要塞は違う意味を帯びてくる。

ニッキーの母が一糸まとわぬ姿で中佐と爆死した。ニッキーは要塞に隠れて無事だったのだが、大人たちは、不道徳な船長夫人が死んだのは天罰だと誰も同情することもなく、その子どもの死体がないにもかかわらず探そうともしない。父親は海軍に行き、母親が死んで叔母の家にひきとられてきたクロッガーも、叔母たちからひとかけらの愛情もかけられたことがない。孤児院に行くのは嫌だ、ここで皆といたいというニッキーの気持ちを汲んで、クロッガーは家出して、ニッキーと要塞で暮らすことにする。

「全員で誓いを……機銃にかけて」。機銃のカバーをとって、その上に祖父の英国国旗をのせると、全員で機銃に両手をあてがい、ニッキーの面倒を見ることを誓った。この誓いによって、〝カパレット―要塞〟は遊び以上のもの、「つまりひとつの国家になった」のである。しかも敵はドイツ兵ばかりではない。いまや大人たちまで、ある意味では敵にまわしたことになったのだ。戦争のために家族を失ったニッキーやクロッガーさえ守ってくれないまわりの親や大人たちへの怒りや反抗心が、要塞の中にいる彼らに生まれる。

子どもは時として大人よりも徹底的にひとつのことを突き詰め、強く結束する。その正義感や純粋さを、大人たちは戦争に利用した。どれだけの若者が、大義を信じて兵士として出征していったか。ウェストールが後に書く『ブラッカムの爆撃機』で戦闘機に乗って死んでいく若者たちは、多くは二十歳前の若者だ。大人たちは若い命を戦争の駒として使い捨ててきた。戦争で傷ついた子どもたちも、いたわられるどころか、邪魔者扱いだ。その大人たちへの怒りを炎のように描くと同時に、力による支配に力で対抗しようとする怒りの発露の虚しさも知り尽くしたウェストールは、だからこそ、そこに敵国の兵士という思いがけないメンバーを放り込むのだ。

ある日、墜落したドイツの爆撃機から脱出した銃手が、何日もあたりをさまよったあげく、くたびれきって少年たちの〝要塞〟にたどりついた。男はたちまち彼らに捕まり、拳銃を取り上げられ、要塞の捕虜になってしまう。

「どうするつもりだ?」〝墓場っ子〟が悲鳴をあげた。「こいつはナチだぜ!」

「あんまし本格的なナチらしくはみえねえけどな」と、クロッガーが疑わしげにいった。たしかに目の前の尾羽打ち枯らした人物には、夜ごと少年たちの夢のなかをあげ足歩調で行進していくピカピカのブーツをはいた黒衣の突撃隊のおもかげはほとんどなきに等しい。

「スワスティカ〔ハーケンクロイツ〕つけてないぜ!」

「ブロンドのけものじゃないよ!」

「おなかすかしてるみたいだわ」と、オードリーがいった。「お茶ついでやっていいかしら?」

「ほんとうにだれかの父親によく似ていたが、ちょっとばかしくたびれて、げんなりしてみえた」

この男は、この一週間寒い外を逃げのびていたので、暖かく心地よい防空壕で疲れがどっと出て寝込んでしまう。朦朧とした意識の中、拳銃を向けながらも自分を介抱するイギリス人の少年たちのことをドイツ兵は訝しむ。

それにしても、この少年たちは、わけのわからない連中だ。（……）ふつうの連中ではない。あまりにもしかつめらしく、あまりにもおとなびているのだ。それどころか、おとなは少なくとも声をたてて笑うことがあるけれど、かれらにはそれすらない。

しかししかつめらしいといっても、あのヒットラー・ユーゲントのチビブタどもみたいなしかつめらしさではなかった。まったくあいつらときたら（……）

いいや、いま目の前にいる少年たちが変わっていたのは、かれらが笑い声もたてなければけんかもしないことだった。議論だけはいくらでもやる。しかしかれらはぜったいに仲違いしたり、かっかきて立ち去ったりはしない。連中がたがいを頼りにしあっているようすときたら、まるで……爆撃機の乗員たちそこのけだった。死ぬも生きるもいっしょというわけだ。

チャスたちは要塞の発覚を恐れて敵兵を看病し、いつのまにか、常に拳銃で見張り、見張られる関係でありながら、一心同体のような親しい関係になってしまう。特に強くて優しかった父の面影が忘れられないニッキーは彼——ルーディになつき、ルーディも少年たちと一緒にいて要塞にトイレやトンネルを作ったりしているうちに、自分が何と闘っているのかわからなくなってしまう。兵器は進化すればするほど、相手の顔を見えなくする。しかし、顔を合わせてしまうことで「敵」は「人間」になる。一人の人間がそこにいることの重みが、憎しみを解除してしまったのだ。

しかし、この王国は長くは続かない。再びやってきた空爆の夜、どこかで激しく鳴らされる鐘の音に、「ドイツ軍侵攻」というデマが口伝えに流れていき、大人たちはパニックになる。とにかく自分だけは助かろうと醜態をさらす親たちに少年たちは落胆し、死ぬまでドイツ軍と戦うために、親たちから離れ自分たちの要塞にたてこもる。一方ルーディは、侵攻してくるはずのドイツ軍と合流するつもりで、ニッキーのボートで海上に出る。彼はもう上空にやってきたドイツの戦闘機を見ても「あわれなやつらだ！」としか思えない。戦争の愚かしさが寒さとともにルーディの身に染みていく。

結局、侵攻などなく、寒さの中それ以上進むこともできず、ルーディは要塞へ、少年たちのところへ戻ろうとする。ところが要塞では思わぬことが持ち上がっていた。昨夜の侵攻さわぎのさなかにいなくなった子どもたちの親たちは慌てふためき、警察に押し掛ける。通りかかったポーランド自由軍（ドイツに侵攻されたポーランドの亡命政府によってロンドンを拠点に編成）の部隊も加わって、子どもたちの捜索が始まる。


チャスはハッとしてわれに返った。あごは目のあらい砂のうの上にのせたままだ。まず眠ってしまったことを恥じたけれど、見まわすとだれもが眠りこんでいた。（……）かれは銃眼から外をのぞいてみた。なにもかもが静かで、音も聞こえてこない。世の中はすっかり空っぽになったような感じだった。（……）

やがてチャスはうめき声をあげた。霧のなかからなん列も並んだ兵士たちが進みでてきたのだ。軍服は灰色にみえるし、耳ざわりな外国語でたがいに叫びあっていた。なん百人もいるぞ！

「クロッガー！〝にんじん汁〟！〝墓場っ子〟、起きろ、やつらがきたぞ。ドイツやろうがきた」

少年たちは要塞に近づいてくる部隊をドイツ軍だと思い込み機銃掃射をしかける。ポーランド自由軍も、上陸したドイツの落下傘部隊の攻撃だと直ちに応戦し、あわや手榴弾が投げ込まれそうとしたとき、戻ってきたルーディが投降の白旗を掲げて敵国の人々の前に姿を現す。要塞にいるのが子どもたちであることを大人たちに教えるために。

かかしのような人影は、最前列のポーランド兵たちのところまでたどりついた。かれらは武器の有無をたしかめてから、むざんに両腕をうしろへねじあげてかえる運びにして相手を少佐のもとへ連行してきた。からだをふたつ折りにされた姿勢で、相手はあえぎながらいった。

「ルーディ・ゲルラート、ルフトヴァッフェ〔ドイツ空軍〕軍曹、認識番号七六四五三二一」

「スパイめ」、と少佐が叫んだ。「おまえは射殺だ、ほかの連中も道連れにしてな」

「わたし以外だれもいない。あそこにいるのは子どもだ」

大人たちがじりじりこちらにやってくるのを見た子どもたちは、まったく状況をつかめないまま混乱する。もしかして、親たちや教師、警察までドイツに寝返ったのか？　チャスが叫ぶ。

「帰れ、とっとと消えろ。おれたちにかまうな」チャスが悲鳴に近い声で叫んだ。「消えろ、消えないと撃つぞ」ふいにかれは全員が憎くてたまらなくなった。そして叫びつづけた。「帰れ！　帰れ！　とっとと消えやがれ、このろくでなしめら。おれたちにかまうな！」

情けない親たちよりも勇敢にドイツ軍と闘っているはずだった自分たちは、いきなりただのどうしようもない子どもに成り下がってしまった。純粋だと思っていた正義が泥にまみれていく。近づいてくる大人たち。チャスの叫びはそのすべてへの怒りだ。そのとき、ルーディだけが立ち上がり、チャスたちの方に向かってくる。たぶんこのとき、少年たちの気持ちに一番近かったのはルーディだ。彼だけが要塞の中の少年たちを知っている。命がけでチームを組む爆撃機の軍曹であるルーディが感心するほど、彼らは真剣だった。だからこそ、ルーディは銃弾が親たちに向けられないように、自分が歩いていったのだろう。今、少年たちの怒りを引き受けて、彼らが罪に問われないようにできるのは敵兵である自分だけだから。追い詰められてクロッガーが放ったルーディの拳銃の弾は彼に当たってしまい、少年たちは要塞から飛び出してくる。すべては終わった。子どもたちは別々に引き離され、〝要塞〟は取り上げられてしまう。

初めて読んだとき、チャスと子どもたちの激しさに驚いたものだ。彼らは戦争という巨大な力に対して、自分たちなりに戦い、自分たちの正義を貫こうとした。要塞の中で、それまで知らなかった連帯も生まれた。ところがその結果、一番身近で頼れる存在であったはずの親や地域の大人たちとの関係は壊れ、本来敵であったはずのルーディと共感が生まれた。そのルーディさえも少年たちは傷つけてしまったのだ。

彼らの目指していた正義とは何だったのか。守ろうとしていた「国」とは、何なのか。その苦い問いを、ウェストールは読む者に突きつける。ウェストールの物語の中で、子どもたちはけっして受け身なだけの存在ではない。時代の価値観の中で必死に生き抜こうとするがゆえに、自分たちもまた加害者になってしまう姿を、ウェストールは容赦なく描いたのだ。

もしチャスが機関銃を発射した相手が本物のドイツ軍だったらどうなっていただろう。少年たちは、ドイツ侵攻を防衛した英雄として褒め称えられていたかもしれない。あるいは、クロッガーの放った銃弾が親たちの誰かにあたっていたら、チャスたちへの風当たりはもっと大きなものになっていたに違いない。誰を、どんな手段で殺すかによって、英雄になったり殺人者になったりする理不尽も、この物語はあぶり出してみせる。

デビュー作であるこの物語は、登場人物が多すぎて視点がころころ変わる。そのため、少年たちひとりひとりの人物像の掘り下げが少々甘いようにも思う。また、チャスたちが要塞を作るときにジョンという知的障害の男性に作業を手伝わせる場面には、現代の倫理観と合わない部分もある。しかし、戦争の中に生きる子どもを、主体的な強い意志を持つ一人の人間として、その罪と罰も含めて描ききろうとした姿勢に、私は心打たれるのだ。

「敵」から、顔をもつ生身の人間へ

さまざまな戦争の記録を読んでいると、戦争は武器や兵器でするものであるとともに、まず言葉が何よりも先行することに気づく。アンヌ・モレリは『戦争プロパガンダ10の法則』（永田千奈訳、草思社文庫、二〇一五）において、各国の政府が、自国の正当性と相手国の残虐さを強調するために、どのように巧みな嘘とプロパガンダを展開していくのかをみごとに整理して読ませてくれる。そこで煽られるのは、「敵の指導者は悪魔のような存在だ」「われわれも意図せざる犠牲を出すことがある。だが敵はわざと残虐行為におよんでいる」「敵は卑劣な兵器や戦略を用いている」という相手への憎しみだ。その憎しみが「われわれの大義は神聖なものである」という主張を裏付ける。

（……）憎む者は、確信を持っていなければならない。一片の疑念もなく。憎しみに疑念を抱きながらでは、憎むことなどできない。疑念を抱きながらでは、あんなふうに我を忘れて憤慨することなどできない。憎むためには、完全な確信が必要なのだ。「もしかしたら」と考えてはならない。「あるいは」と考えてしまえば、それが憎しみのなかに浸透し、よどみなく流れるべき憎しみのエネルギーをせき止めてしまう。

カロリン・エムケ『憎しみに抗って――不純なものへの賛歌』（浅井晶子訳、みすず書房、二〇一八）

戦争は、価値観を単純に二分化する。敵か味方か。勝ちか負けか。生か死か。その間にある無数の「もしかしたら」や「あるいは」という仮定は切り捨てられる。ウェストールは、その「もしかしたら」「あるいは」を物語の中で取り戻そうとしたのではないか。

この物語の「もしかしたら」は機関銃とルーディだ。黒光りする機関銃は、チャスの中の恐れや国への忠誠心、祖父から受け継がれた戦争の記憶、憎しみなどの感情を増幅させたが、ルーディは生身の、集団ではないたったひとりの人間として登場し、闘うべき存在である「敵」の姿を霧散させてしまう。『〝機関銃要塞〟の少年たち』のカーネギー賞受賞に反対した図書館員たちの手紙に、ウェストールが反論したことがある。その記録によれば、このルーディは作者自身の代弁者なのだという（『ロバート・ウェストール　現代英米児童文学叢書11』）。

物語の中にいきなり敵兵が登場するという展開は、ウェストールの戦争の物語のあちこちに描かれる。その中のひとつ、『空襲の夜に』（『遠い日の呼び声』所収）は、ドイツ軍の爆撃機がやってきた夜、北海を隔ててドイツと向き合う海辺の家に一人で留守番していた少年の物語だ。ドイツ軍とイギリス軍の激しい応酬のあと、爆撃機から脱出した巨体のドイツ兵がやってくる。ドイツ兵は少年の家で食べ物をあさり、今度は酒を飲み出す。おばあちゃんの秘蔵のエルダーベリーワインは強く、ドイツ兵はすっかり酔っ払い、死んでしまった戦友の名前を呼びながら号泣する。そして、この無礼でどことなくそそっかしいドイツ兵は、ふらふらと外に出て、雨水の溜まった庭の穴に落ち、溺れかけるのだ。そのまま見殺しにしてもよかった。少年の母は爆撃で死んでしまったのだし、大人たちは憎いナチスを一人やっつけたと褒めてくれるだろう。しかし、少年は自分でもわけのわからぬ衝動にかられて、ドイツ兵の頭を膝に乗せて支え、祖父母が帰ってくるまで凍えながら待つのだ。

「助けてしまった理由は、ただ、そいつがまだ生きていたからだった」。戦後にドイツ兵から、奥さんと子どもの写真をたくさん同封した手紙がきて、少年は初めてこれでよかったんだと思う。しかし、返事は頭が混乱してしまって書けなかった。「今もまだ、ぼくの頭は混乱している」という言葉でこの短編は結ばれている。

『〝機関銃要塞〟の少年たち』のラストも、混乱の極みだ。大人たちはデマに踊らされて右往左往し、敵が味方に、味方が敵にすり替わり、少年たちは大切な仲間も失ってしまう。撃たれたルーディがどうなったのかもわからない。しかし、この何のカタルシスもなく、正義も価値観も揺らいだ場所からウェストールの作家人生が始まったことと、彼が何度も何度も繰り返し戦争を描いたことは繋がっていると私は思う。彼にとって戦争は過去のものではなく、生々しい「今」で在りつづけたのだ。

チャスの祖父は戦争から二十五年の間、白兵戦で殺したオーストリア兵の記憶に苦しめられるが、絶対にオーストリア兵の帽章を捨てようとはしない。彼は自分が殺した人間の顔を覚えている。夢に見るほど忘れられないでいる。しかし、第二次世界大戦でウェストールが経験した空爆は、お互いの顔も見ずに殺し、殺される戦争だった。兵士だけではなく、子どもや年寄りや女性まで大量殺戮する戦争だったのだ。その中の敵とは何だったのか。少年だった自分がイメージした「敵」と殺されていった者たちの落差や、あの頃抱いた強い憎しみの正体について、多くの人が忘れていっても、ウェストールはずっと考えつづけた。そして、大人になった自分が、あの頃少年だった自分たちの前に一人の敵兵として登場する物語を書いたのだ。祖父が闘ったカパレットーの地を名付けた要塞にやってきた敵兵を、少年たちは助け、介抱した。そこに消えぬ一つの光がある。だからこそ、ウェストールは戦争の中の、ひとりひとりの人間の顔と心が見える物語を生涯書きつづけたのかもしれない。

普通の家庭にやってきた戦争
――究極の共感のかたち、共苦 compassion を生きた弟

ロバート・ウェストール『弟の戦争』

一九九〇年　イギリス

トム　十五歳

ウェストールが、晩年に湾岸戦争への怒りをこめて書きあげたのが『弟の戦争』（原田勝訳、徳間書店、一九九五）だ。

ウェストールの物語には、不可思議な存在がたびたび登場する。撃墜されたドイツ戦闘機のパイロットの幽霊が何度も現れる『ブラッカムの爆撃機』。初恋相手の少女が幽霊になって出現する『禁じられた約束』、古い水車小屋に残滓のように残る悪意と少年の嫉妬や恨みが結びつく『かかし』。第一次世界大戦の脱走兵がタイムスリップして古い屋敷に現れる『チャス・マッギルの幽霊』。しかし、この『弟の戦争』に出てくる幽霊は、過去のものではない。遥か彼方のイラクに生きる縁もゆかりもない少年兵がイギリスの少年に憑依してやってくるのだ。武器も権力も、何一つ持たぬ少年のところに、なぜ戦争がやってくるのか。そして、その弟を兄はどう受け止めたのだろうか。

共感という名の痛み

イギリスの理想的なミドルクラスの家庭。地元のラグビーチームの選手で、男らしくて頼りがいのある建設業の父と、地方議会の議員をしている世話好きで優しい母。二人の子どもたちも何不自由なく暮らしている。語り手は兄である十五歳のトムだ。

十二歳の弟のアンディには風変わりなところがあった。幼い頃から、まるで異世界に迷い込んだかのようなリアルな夢を見るのだ。ある時はアラスカをカヤックで行く冒険家のような夢。あるときは南の島での楽園のような暮らしの夢。幼いアンディの持っている知識や想像力では描けないはずの細部までリアルな夢だ。現実よりも本物らしく思えてくるほど鮮やかな弟の夢の話を聞くのがトムは楽しみだった。トムはそんなアンディを、自分と二人だけのときは「フィギス」と呼ぶ。トムが幼い頃、人助けに走り回る母さんがいなくて寂しいときに考え出した、架空の友だちの名前だ。物語のほとんどは、フィギスとともにいるトムを中心に語られていく。

フィギスは感受性も想像力も強い。目に見えないものを感じ取る力が並外れている子どもだ。新聞で見たナイジェリアのまじない師にどうしても手紙を書きたいと言う。写真だけで名前は載っていないのに、チャーリー・ムバジュモという名だと言い張る息子に、両親は大使館まで問い合わせて、そのまじない師の名前がまさに「チャーリー・ムバジュモ」であったことを知る。

フィギスは、傷ついたものには特に強い共感力があった。巣から落ちた子リスのそばから頑として離れないような少年の前に助けが必要な生き物が現れるたび、家族は冷や冷やしなければならない。あるとき、後の大事件に繋がるようなことが起こる。バカンス旅行の最中に、飢饉に苦しむエチオピアの親子の写真を新聞で見たフィギスは、にぎやかな浜辺で海に入ろうともせず写真に見入ったままだ。そんなフィギスの様子にトムの一家はだんだん孤立し、まわりには人気がなくなっていく。

フィギスは午前中ずっと、ただ写真をじっと見つめてすわっていた。まるで小さな暗い不幸の影だ。

まわりには太陽と美しい女の人があふれ、目をぎらつかせたスペインの若い男たちがフリスビーを投げ合っては、たくましい筋肉を見せびらかしている。フィギスはそうした光景にあいた穴だった。それもブラックホール。まっ白なホテルもくだける波も、青い空さえも、素人芝居の下手くそな背景画のように思えてくる。時間がたつにつれて、ぼくにもまわりのものがなにひとつ本物に見えなくなってきた。本物なのは、やせこけた、でも威厳のある女性とおなかのふくれたギョロ目の子だけ。この親子で世界がいっぱいになった。

まわりの人たちもしだいに気づき始めた。フィギスはぴくりとせず、ぼくたち家族からもすっかり切り離されてしまったように見えたから。

ばりばり働いている現実主義の父は、そんな息子にうんざりしてしまう。「エチオピア、バングラデシュ、大地震、スーダン。きりがないじゃないじゃないか、トム。あり金はたいたところでどうなる、え、その金はどこへともなく吸い込まれて、情勢はこれっぽっちも変わらんさ。自分が丸裸になるまで援助したって、連中はまだまだ、いくらだっているんだ」。父さんはけっして残酷な人でもなんでもない。家族のためにくたくたになるまで働き、やっと手に入れたバカンスを台無しにされるのはごめんこうむりたいと思う気持ちも、もっともだ。

フィギスは夕食に手もつけず、午前三時になっても明かりをつけたままあの写真を見つめている。

この子の名前はボサ。とってもおなかをすかしてる。おなかが痛いくらい。お母さんがどうして食べ物をくれないのか、この子にはわからないんだ。

フィギスは写真の子の苦しみを一緒に体感している。夜が明けたが、身動きもせずにまだじっと写真を見つめている息子に、困っている人たちのためにいつも走り回っている母さんも、ただ黙ってそばに寄り添うことしかできない。

父さんにとっては、新聞の中の一枚の写真にすぎない。飢えた子どもの苦しみを生身の体に感じているフィギスとの間には、無限の距離がある。ボサという子どもの、他の誰のものでもない痛みと苦しみは、「飢餓に苦しむエチオピアの親子」とキャプションが付いた個人名のない写真になったとき、世界中に溢れている数限りない不幸の一つとして分類され、片付けられてしまう。ほとんどの人にとって、それはもう、自分が手を差し伸べることができない巨大で遠い影のようなものでしかない。その落差がフィギスと父さんの間に大きな亀裂を走らせてしまう。

いや、父さんとだけではない。他人の痛みを距離感なしに体感するときのフィギスは、絶対的に孤独な存在だ。「他人の痛みをわかる人間になりなさい」と大人は子どもに言うが、それは「他人の痛みや苦しみを、そのまま体感できる人間は存在しない」という前提があってのことだ。少なくとも私にはわからない。極限までお腹が空く辛さもわからないし、銃に体を打ち抜かれる痛みも、体の一部をもぎ取られて死んでいくときの感覚も、自分の知っている痛みを手がかりに、想像するしかない。しかし、フィギスはそれを難なく体感する。体感というより、体現だ。彼が、痛みそのものの存在になってしまう。ウェストールはなんと恐ろしいことを考えたのだろう。

ここで描こうとしたのは、究極の共感の形だ。しかもこれは自分で拒否することのできない共感なのだ。いったん発動すると自分ではコントロールもできなくなる。ボサの痛みに同化し、とうとう自分の体まで弱りだしたフィギスだが、「ボサが死んじゃった」という一言とともに憑きものが落ちたように元に戻る。しかし、今度はもっと恐ろしいものがフィギスの力に同期してやってくる。

イラクがクウェートに侵攻した日の朝。一家は夏の休暇を田舎の農家を借りて過ごしていた。庭に張ったテントで寝ていたトムとフィギスだが、明け方にトムは、誰かがテントの外で叫んでいるのに気づく。フィギスが聞いたこともないどこかよその国の言葉を叫びながら、父さんの車の上で木の枝を振り回していたのだ。取り押さえようとしたトムにフィギスはつばを吐きかけ、嚙みつこうとする。怒りや憎しみにあふれ、同時に恐れやずるさも見える、弟のものではない、その顔。その日から、イギリス中が湾岸戦争のゆくえを追う日々が始まった。父さんはクウェート侵攻のニュースに夢中になり、楽しい休暇も台無しになる。そんな毎日の中で、フィギスの体に「ラティーフ」がやってくる。

普通の家庭と戦争

ここで私たちは、トムとフィギスの子ども部屋からすこし離れよう。そして、考えてみたい。なぜ、普通の家庭に戦争がやってくるのだろう。

この物語の冒頭、トムが、たくましい父さんに何度も放り投げられては受け止められる思い出を懐かしく語るシーンがある。巨大な両手が、トムをがっしり受け止め、トムは父さんが抱いていてくれるなら、ナイアガラの滝の上に突き出されても平気だと思う。

ラグビーという男らしいスポーツで父さんとトムは結ばれている。トムが、父さんと同じチームで初めてプレーするシーンがある。怪我をしたメンバーに代わってスクラムハーフとして参加したトムは、屈強な男たちがのしかかってくる中、何度もボールをスクラムから出しつづける。そして、あわや負け試合になろうとするとき、トムの目の前にボールが転がり、ぽっかりとゴールへの道があいている。トムは「ヒギンズ・アンド・ヒギンズ」の最強のコンビとして父さんと一体になりながら、みごとにトライを決めるのだ。この日の英雄としてチームから手荒い歓迎を受けたトムは「父さんがもっとも父さんらしく、もっとも幸せになれる世界」を父と共有する。「男らしさ」は父さんからトムへ受け継がれるべき、大切なバックボーンなのだ。このラグビーシーンの高揚感を描き出すウェストールの筆の冴えはみごとだ。仲間たちとの一体感、興奮せずにはいられない勝利の歓喜。他者との一体感からはじきだされるフィギスの痛みを伴う共感とは対極の共感。このシーンは、この後の、戦争を語る父さんの様子にそのまま繫がっていく。

一方で、他者の弱さや苦しみに敏感なフィギスは、強さやたくましさとは反対の側にいる。イラクがクウェートに侵攻してから、フィギスは毎晩のようにベッドの上にすわり、あの外国語のような聞いたことのない言葉をぶつぶつつぶやくようになった。深く入り込んでいるときは、フィギスはトムが話しかけても英語をしゃべることができない。しかし半覚醒の時間に「ラティーフ!」と呼びかければ、トムはラティーフ——それがフィギスの夢の中の名前だった——になったフィギスから、実に具体的にイラクでの彼の家庭や少年兵としての毎日の暮らしのことを聞き出すことができた。トムがサダム・フセインのことを尋ねた夜、ラティーフに憑依されたフィギスが興奮して叫びだし、母さんは息子の異変に気づく。感じやすいアンディの様子がおかしいのは、クウェート侵攻をだらだら報道しつづけているテレビのせいだと腹をたてた母さんは、かじりつくようにテレビを見る父さんと喧嘩をする。

「人がたくさん殺されるんだわ。それも世界を動かしてるのがあなたたち、男だからよ。シンプスンさんの息子さんがむこうへ行ってるの。今朝、郵便局で奥さんに泣かれたわ」

「この戦争がなんて呼ばれるようになるか教えてやろうか。涙の戦争さ。ほら、オーストラリアのフリゲート艦二隻がペルシャ湾に向けて出航した時のことを憶えてるだろ。泣いてるのは乗組員の奥さん連中だけじゃなかった。なげかわしいことに本人たちも泣いてるじゃないか。世界中がやわになってる。イギリスの『湾岸戦争母の会』だってそうさ、息子たちがホームシックにかかってるなんて、わめきたてるんだから……、まったく泣かせてくれるじゃないか（……）」

戦争は「男の言葉」で語られてきた、と『戦争は女の顔をしていない』（三浦みどり訳、岩波書店、二〇〇八）の中でスヴェトラーナ・アレクシエーヴィチは言っている。男の戦争観、男の感覚が戦争では何より最優先される。「男の言葉」は、そこにいるはずの生身の人間の心や痛みを切り捨てる。

「じゃあ、わたしたちはなにもしないでいいって言うの？　息子たちを犬死にさせろって言うわけ？」

「犬死にじゃない。フセインはあと一歩で原子爆弾を手に入れようとしてるんだ。今、一万人死んでも、将来の百万人よりましさ」

「一万人ですって？」母さんはもう金切り声だ。「一万人とはずいぶん気前がいいこと。（……）気でもちがったんじゃないの、ホースィー。あなたたち男はみんな正気じゃないわ。自分が行かなきゃならないとしたらどうなの。トムだったらどうするのよ」

父さんの顔が石のようにこわばった。「おれが臆病だとでも言いたいのか」「喜んで務めを果たすつもりだ」父さんはきっぱりと言い切った。「ぼくだって喜んで務めを果たすさ」ぼくは父さんのほうにほんの少し身を寄せながら言った。

父さんの視点は、常に殺す側からのものであり、殺されるべき敵に注がれる。対する母さんの眼差しは、個人に、殺されるかもしれない目の前の夫や息子に注がれる。これは、男がなべて残酷で、女は愛に満ちた存在だ、という幻想に満ちた二元論ではない。この根底には『三ギニー 戦争と女性』(出淵敬子訳、みすず書房、二〇〇六)でヴァージニア・ウルフが指摘したジェンダーの問題、長い間さまざまな場面において刷り込まれ、社会全体の価値観として共有されてきた男性と女性の不平等性を根底にした慣習や感情の隔たりが、厳然としてある。従来、男性が戦争を語るとき、国家と自分は一心同体になりがちだった。為政者のまなざしから戦争を眺めている。しかし、政治や職業や教育といった社会のシステムの中で常に辺境に置かれてきた女たちは、男たちがちっぽけだと思う、踏みつぶされる人間の場所から戦争を見つめる。

物語の中でトムが感じる、ラグビーというスポーツの喜び。その描写の中で、ウェストールは選手たちが勝利のために相手の体に突進し、意識的に傷つけるシーンを書き込み、軍隊を思わせる言葉を使っている。

ぼくの両足は、まだどこか遠いところで動き続けてるらしいが、耳に響くのはただ、大昔の戦士のときの声にも似たあえぎだけ。もちろん、言うまでもなく、ぼくの父さん、偉大な、並ぶもののないホースィー・ヒギンズだった。（……）ジャージーを通して父さんのぬくもりが伝わり、たのもしい軍馬のような汗のにおいが嗅ぎとれる。

勝利の喜びに沸く、威勢のいい、男らしさを枠組みとした言葉たちは、戦争を支持し、突入に導くような世論をいつのまにか形作ってしまうことがあるのではないだろうか。父さんの戦争を支持する意見は、あの当時、米英のどこの家庭でも交わされる、ありふれたものだったろう。しかし、ありふれているからこそ象徴的で、第二次世界大戦当時からまったく変わらぬ、普通の人々の考え方が反映されている。

スヴェトラーナ・アレクシエーヴィチは『戦争は女の顔をしていない』で、第二次世界大戦に従軍した女性たちの体験を、丁寧に聞き書きしていった。彼女が聞きたかったのは、心の物語だ。「戦争のでも国のでも、英雄たちのでもない」「ありふれた生活から巨大な出来事、大きな物語に投げ込まれてしまった、小さき人々の物語」。飢えのあまり歩きながら死んでいく人々。空を仰ぐ死者たちの目。着たきりの軍服のズボンにこびりついた経血がガラスのように固まって肌を傷つける。男なら簡単にすむ排泄ひとつにも苦労する女性だけの苦しみ。

ファシズムへの戦いを決意し、旧ソ連の女たちは兵士として参加した。しかし、男の世界である軍隊で、女性たちは男性が意識しなくてすむ苦しみをさらに味わうことになった。しかも、戦争が終わって帰ってきても、彼女たちは「従軍手帳を隠し、支援を受けるに必要な戦場の記録を捨てて、戦争体験をひた隠しにしなければならなかった」（『戦争は女の顔をしていない』訳者あとがきより）。男性に混じって従軍し、何をしてきたのかという邪推と蔑みの眼差しから逃げるためだ。だからこそ、自分だけの痛みの記憶を持つ女性たちに、著者は聞き取りを行おうとした。公的な記録には一切残っていない彼女たちの記憶は、ひとりの人間としての体感が伝える生身の迫力があり、ずしりと重い。しかし、女性の家に訪問して話を聞くときに他の身内や知り合い、ことに男性が居合わせると、彼女が聞きたかった、その人だけの感情や記憶を心を開いて話してくれることは少なくなってしまったという。

聞き手が多いほど、話は無味乾燥で消毒済みになっていった。かくあるべしという話になった。恐ろしいことは偉大なことになり、人間の内にある理解しがたい暗いものが、たちどころに説明のつくことになってしまった。私は、誇り高く、とりつくしまのない記念碑ばかりが立っている輝く表面に覆われた砂漠に身を置くことになる。

湾岸戦争でも、テレビに映し出されるピンポイント爆撃は、一滴の血も見せずにクリーンに軍事施設のみを破壊するかのような情報操作がなされていた。父さんのような普通の人々は、この戦争を熱く支持した。その中に踏みつぶされていった小さな人間の物語は、なかったことになっていたのだ。ウェストール自身が父親から大きな影響を受けて育ったこともあり、作品世界でも「父」は主人公にとって大きな存在であることが多い(『現代英米児童文学評伝叢書11　ロバート・ウェストール』三宅興子、KTC中央出版、二〇〇八)。頼りになる存在でもあり、慣れ親しんだ価値観や既成の世界の秩序を体現する存在でもある。父さんが体現する「男らしさ」の世界の裏に何があるのか。ウェストールは、男らしい言葉にコントロールされている普通の人々の無自覚さに、少年に憑依した少年兵という、踏みつぶされてしまった小さな物語を対峙させようとしたのではないか。その小さな物語をずっと聞きつづけたトムの心に、いったい何が生まれていったのだろうか。

共感と共苦の間で

ぼくは弟が大好きだった。あいつが生まれた時から。でも、心の底から愛してたって言えるか？　ぼくは自分のことしか考えてなかった。ほんとうに愛してたら、あんなことはできなかったはずだ。弟の身に起きたことは、みな、ぼくのせいだったのかもしれない……。

アンディがだんだんおかしくなっていたのは自分のせいだと思うトムの後悔の言葉からこの物語は始まっている。トムは、報道で仕入れた知識を手がかりにフィギスを質問ぜめにする。

『ラティーフ』は新しいおもちゃみたいなものだった。毎晩のように、ぼくはそのおもちゃをとことんもてあそんだ。フィギスは演技してるだけなんだろうか。もしそうなら、ぎりぎりまで追い詰め、なにかばかげたこと、まちがっているとぼくにもわかるようなことを言わせて、芝居だと認めさせたい。

しかし、フィギスが話すのは、大がかりな軍事作戦の話ではなく、少年兵として暮らしている日常のささやかなことだけだった。破れたサッカーボールでするサッカーの話。砂漠に住む小さな生き物を捕まえて食べていること。アクバルという仲間の兵隊のこと。毎日悩まされているしらみの話。トムはフィギスの話に引きこまれ、魅入られていく。スヴェトラーナ・アレクシエーヴィチの聞き取りを読みふける私のように。

トムはラティーフになったフィギスを「新しいおもちゃ」のように「とことんもてあそんだ」と思っているが、私には、フィギスの夢にどんどん引きずり込まれていくトムの気持ちがよくわかる。報道やニュースで事務的に伝えられる戦局などでは知り得ない、唯一無二の手触り。人間が、生と死を分けるぎりぎりの場所にいるからこそ感じる、生々しい感情や心の動き。最も極限状態にいる人間の物語、それが戦争の物語だ。戦争の物語を読めば読むほど、私はその中に生きている一人一人が、生まれて育った場所が違うだけのもう一人の私だとしか思えなくなる。

戦況が激しくなるにつれ、フィギスは白昼、外出先でもラティーフに憑依されるようになる。そして、多国籍軍の爆撃が始まった日、フィギスはラティーフに完全に体を乗っ取られてしまう。


フィギスはもう体を丸めてはいなかった。まっすぐあおむけに寝て、焦点の定まらない目で、ただ天井を見上げている。声をかけると落ち着かないそぶりでこっちを見た。

うわっ、ぼくはもう少しで叫ぶところだった。いつものフィギスの面影すらない。あの、熱っぽい、びくびくとおびえたような顔に変わっている。

（……）いま目の前に横たわってるのはフィギスじゃない。これはラティーフだ。


精神科病院に入院したフィギスの担当医であるラシードはアラブ系の人で、フィギスがアラビア語でひとりごとをしゃべっていることに気づき、治療のために、アラビア語で患者の聞き取りを試みることを提案する。トムはラシードに、弟が自分のことをラティーフというイラク少年兵だと思っていることを思い切って告白する。後日、ラシードの友人のアラブ人医師によって行われた聞き取りの結果、フィギスが習ったこともないアラビア語を完璧に話していること、フィギスを通じて現れるラティーフはイラク陸軍の機甲旅団に所属する十三歳の兵士であることがわかるのだ。ラシードとトムは、フィギスとラティーフが空間を超えて繫がっていることを信じざるを得なくなる。しかしフィギスが精神科に入院したことで動揺し、悲しみにくれている両親に、こんなことを話すわけにはいかない。トムとラシードは、この科学では説明できない不思議な現象のたった二人の目撃者になったのだ。

ラシードが学校までトムを訪ねてきたとき、クラスメートのブラットが「アラブのホモ野郎」という言葉を投げつける。ラシードはトムに言う。「わたしにはイラク人の気持ちがわかる。世界中からアラブのホモ野郎って言われるのに嫌気がさしたのさ。急に、このままアラブのホモでいるより、死んだ方がましだって気になったんだ。（……）きみはさっき、あのブラットとかいう子を殺してやりたいと言ったが、それじゃ、もしきみやきみのお父さん、おじいさんがずっとそう呼ばれ続けてきたとしたら？　何世代にもわたってそんなことが続いたら？　きみは殺意をいだかないだろうか」

ラシードの言葉はこの戦争の複雑な事情を単純化しすぎているし、この罵倒そのものが、執筆から三十年を隔てた今のジェンダーの価値観から見れば受け入れがたい言葉であることも事実だ。しかし、他民族に対する差別意識が、第二次世界大戦から半世紀経ってなお、ますます激しく燃え上がり分断を生み出していくこと、その理不尽を世界中の人々が黙認し、テレビでただ見ているだけだったことを、ウェストールは考えつづけていたに違いない。

フィギスは病室に古い枕やマットレス、椅子などを積み上げて防空壕のようなものを作り、たてこもっている。空を見上げ、誰かとアラビア語で挨拶をし、おしゃべりをする。この状態のフィギスのかたわらで過ごしながら、トムは自分もイラクの地にいて、これからアメリカ兵を殺そうとしているように思えてくる。しかし、どんなにフィギスに寄り添っても、トムはあくまでも傍観者でしかない。つかの間、意識を取り戻した弟はトムに、一緒にいるイラクの戦友たちにも家族がいて「ぼくと少しも変わらない」一人の人間であることを語りつづける。

「ときどき思うんだ……」フィギスはそこまで言って口をつぐんだ。

「え？」

「ここに来て、ありのままぜんぶを見るのがぼくの役目なんじゃないかって。まるで映画でも見る気分でテレビの画面をながめてるみんなのぶんまで……」

湾岸戦争は、世界中にテレビ中継された。皆、安全なリビングルームで戦争を見届けたつもりになった。世界中が狂ったように戦争という一大スペクタクルを消費する中、フィギスは、共感の究極の形としてともに滅びようとしている。「どうしてこんなことになったのか、わからない」けれど、「つかまっちゃった」フィギス。なぜフィギスなのか。「こんな不公平なことってないだろう！」というトムにフィギスは「公平ってなに？　世界は公平にできてないんだよ」と答えるのだ。

「ぼくの話を聞いておいて……そしてあとで思い出してよ。どんなだったかみんなに教えてやって。こっち側がほんとうはどんなふうだったのか、どうしてもみんなに知ってほしいんだよ。ラティーフもアクバルもアリーも普通の人間なんだって……」

この言葉は、フィギスの口を借りて伝えられるラティーフの叫びだ。なぜ、自分なのか。遠くでは、安全な場所で守られて生きる子どもがいるのに、なぜ、自分たちは爆撃に体を吹き飛ばされて死んでゆかねばならないのか。その理不尽に血を流す魂が遠く海をわたり、フィギスのところにやってきた。『〝機関銃要塞〟の少年たち』では、イギリスの海辺の町に住む少年たちの要塞にドイツの兵士ルーディが生身の、たったひとりの人間として登場し、闘うべき存在である「敵」の姿を霧散させてしまう。少年の体に憑依してやってきたラティーフも同じ役割を果たす。トムと読者は、悪魔でもなんでもない「普通の人間」が銃弾に貫かれて死んでいくのを、フィギスの体を通じてただ手をこまねいてともに苦しみながら目撃するしかない。

殺されるのは本当に「敵」なのか。イラクではついに多国籍軍による絨毯爆撃が始まり、フィギスの体に再びラティーフがやってくる。

ひとつの小さな体の中に戦争が丸ごとあった。ひざまずいて壕の奥へ入り、両手でふれると、突然身をよじるようにぼくの腕の中に飛び込んできた。（……）これはフィギス？　それともラティーフ？　ぼくにはわからない。（……）口をきくこともできないみたいだし。もうどっちでもいい。ぼくは小さな防空壕の中で、あいつの体を包みこむように丸くなり、伝わってくるふるえを感じていた。アメリカ人が憎かった……。

火だるまになった伍長のアクバルの体に必死に手を差し伸べるラティーフの手は焼けただれ、もう銃を拾うこともできない。クウェートの夜空に向かって咆えたけるラティーフの姿が、弟の体を通してはっきりと見える。と、フィギスの体がのたうち、放り投げられるようにふっとんだかと思うと、小さなぐにゃりとした塊になってしまった。トムは紛れもない「死」を目撃したのだ。

ラティーフが死んで、弟は還ってきた。ラティーフであった時間のことも何も覚えていない。アンディの中にあったフィギスであった部分、誰かの痛みにシンクロしていく場所は、あのときにラティーフと死んでしまったのだ。

「先生は、気が狂ってたとは思わないんですか。これっぽっちも？」

「ああ、まったく思っていない。きみの弟はあまりにも正気だったんだ。だれもが自分と同じ人間だ、っていう思いが強すぎたんだよ。狂っているのはまわりの世界の方さ。（……）」

この世界で「あまりにも正気だった」フィギスはいなくなり、この戦争で誰が踏みつぶされたのか目撃したのは、たったひとりトムだけになってしまった。アンディはもう、夢や空想の話もせず、傷ついた生き物に目をとめることもない。マウンテンバイクとCDプレイヤーを欲しがるアンディは、奇妙なふるまいや物言いをまったくしなくなり、次第に父さんそっくりになっていく。トムはそれが寂しくて仕方がない。目撃者であり、狂った世界でひとり正気でいるのは孤独なことなのだ。しかし、トムはもう男らしい父さんの世界には戻れない。少年は見てしまったことを胸に秘めて新しい旅を始めねばならない。

フィギスはぼくらの良心だった。頭がおかしいんじゃないかと思う時もあったけど、それでもぼくらにはフィギスが必要だった。

ぼくらのまわりには、あちこちに、深く切れこむ湾がある。人と人の間に深い溝がある。ちょうどあの戦争の舞台となったペルシャ湾のような。フィギスは、その溝に橋をかけようとした子どもだった。

湾岸戦争は終わり、あっという間に忘れられようとしていた。しかし、トムだけは、フィギスとラティーフのことを忘れることができない。傷ついたブラックバードを拾い、母さんのところに持っていったトムは母さんにこう言われる。「どうしたの、トム。あなたもフィギスみたいに手に負えなくなってきたわね」

ラティーフが死んでしまったことも、フィギスが苦しんだことも、トムにはどうしようもないことだった。それは、フィギスが憑依されたのと同じくらい、トムには如何ともしがたいことだ。しかし、トムには言いようのない罪悪感と、この悲劇が自分の責任であったという重い実感が残る。抱きしめていた少年の死を見ていることしかできなかった痛み。ラティーフと同期・同調していた弟からは消え去って、ただ手をこまねいて見ているしかなかった兄の苦しみの中に生まれ、育っていったもの、これこそがcompassion（コンパッション）、共感共苦の力であり、深い溝に橋をかけようとする希望なのではないか。

この物語が書かれてから三十年経つが、その間に世界経済の結びつきはますます大規模に深くなった。私たちの使うスマホの部品に使われる鉱物の利権をめぐって、内戦状態の中で組織的にレイプが行われている――そんな時代なのだ。

トムはラティーフとともに死んでいったフィギスから、自分の声を伝えよと責任を託された。「ぼくらの良心」であったフィギスがいなくなった世界で、トムは小さな一歩を踏み出した。それは、遙か彼方の戦争で破壊されてしまった人間の尊厳を、この世界の良心を、どう取り戻すかの、気の長い営みへの第一歩だ。トムはもはや、父さんの後継者ではない。この物語の最後の一行は、こうだ。

どこか記憶のいちばん遠くのすみから、あの懐かしいフィギスが現われて、あの頃と同じ、「よくやったね、兄さん」という顔をして見せた。

戦争の記憶を書きつづけたウェストールの物語から、私たちも次の一歩を踏み出すことができるだろうか。

基地の町に生きる少女たち

——沈黙の圧力を解除する物語の力

岩瀬成子『ピース・ヴィレッジ』

二〇一〇年頃　日本の基地の町

楓（かえで）　十二歳

一見、平和な子どもの日常を淡々と描いた小説だ。空襲も虐殺も何もない。しかし、米軍基地のある町で日々を暮らす子どもたちの感性から浮かび上がるものは、日本という国が隠している、もしくは見ないようにしている、もやもやと根強く終わらない戦争の姿だ。

基地のある日常

ここは基地の町。海に面した町の大部分を米軍基地が占め、戦闘機が離着陸を繰り返している。具体的な地名は作品中には出てこないが、この物語の舞台として設定されているのは、他の岩瀬作品にも登場する作者の故郷、山口県の岩国だと思われる。主人公の楓（かえで）は十二歳。基地から歩いて五、六分のところに住んでいる。飛行機の爆音。タトゥーショップ。ランニングしているアメリカ兵。基地の正門にはアメリカ国旗と日本国旗がひるがえっている。これがあたりまえだと思っていた風景を一変させたのは、一つ年上で、仲良しの紀理（きり）ちゃんだ。

基地が年に一度地元の人々に基地を開放するフレンドシップ・デーに行こうと誘った楓に、紀理は「行かない」と答える。

「行きたかったら、一人で行ってよ。わたしは行かないから」

「紀理ちゃんが行かないのなら、わたしも行かない」

「それはご自由に」

紀理ちゃんはつきはなすように、いった。

話すことがきゅうに、なにもなくなってしまった。しかたなく、じゃあね、というと、じゃあ、と紀理ちゃんもいった。

「楓ちゃんはもう、わたしと付きあったりしないほうがいいよ」

こどもの日に行われるフレンドシップ・デーは、屋台や出店などもたくさん並ぶ一大イベントだ。岩国にはもともと、大日本帝国海軍航空隊の基地があり、終戦後一九四八年にオーストラリア空軍基地に、その後一九五二年に米空軍基地になった。沖縄と同様、戦中戦後の歴史を深く背負う場所だが、そんなことを口に出す人は誰もいない。フレンドシップ・デーでは最先端の自衛隊ジェット機のデモンストレーションや航空ショーが行われる。いつもくっついていたお姉さんのような友だちの言葉がショックで、「なにかがぐるりとひっくりかえったような気がした」楓は、次の日曜日、紀理の家を訪ねる。そこで楓は、紀理の父が病気で手術をし、入院中であることを知らされる。驚く楓だが、やはり気になるのはこの間の紀理の一言だ。

「もう、わたしとは遊べないの?」

ちがう、ちがう。紀理ちゃんは頭をふった。

「ちがうじゃん。わたし、楓ちゃんの立場とはちがうから」

紀理ちゃんはまた自分の爪を見つめる。まるでそこからなにかがのびでるのを待っているみたいに。

「だってね」

（……）

楓の父は、基地に向かう道路の四差路（フォーコーナー）の角地で「スナック・タキ」を経営している。祖父が米軍の兵士向けに開いた店で、おばあちゃんは今もそこで料理を作っている。一方、紀理の父である「末広さん」は地元のスーパーで働きながら、毎週水曜日の夕方に基地の前に立ち、アメリカ海兵隊の兵士たちに「戦争に反対しようとか、核兵器に反対ですとか、そういうことが英語で書いてあるらしい」紙を、たった一人で渡しつづけている。

曖昧な沈黙が押し込めるもの

末広さんの病気のことを聞いた母は、心配しながらも、「いくら信念だといってもねえ」「体をこわすまでつづけるというのは、ねえ。紀理ちゃんだっているのに」と批判的だ。父子家庭で、末広さんが入院しているので、中学生の紀理は今、一人暮らしだ。

えらいなあと思うけれど、でもね、どうなんだろう、とも思うわねえ。

母は楓が質問するままに、末広さんがベトナム戦争の頃から、紙を渡してきたことを教えてくれる。

「ずっと一人で?」

「ずっとまえは、一人じゃなかったんじゃないかな。昔は何人か仲間もいたんじゃないのかしら。そのうち、一人ぬけ、また一人ぬけて。まあ、ああいうことは、そういうものだろうけど」

楓の母の言葉はごく一般的な大人の反応だろう。末広さんのしていることに賛成するでも反対するでもない、曖昧な黙殺。「ああいうこと」という言葉には多くの含みがある。「ああいうこと」を続けるには、多くの困難やリスクがつきまとうのだ。楓は母に質問を重ねる。

「おじさんのくばっている紙をもらったことある?」

「ないよ」

「どうして」

「どうしてだろう」

「どうしてだろう」という鸚鵡返しの言葉は遮断であり、紀理の父が配っている紙は、触れてはいけないタブーらしい。

母も、そして母以外の大人たちも、ベトナム戦争のころから末広さんが配っている紙を読んだことはなく、そこに何が書いてあるのかを正確には誰も知らない。知ろうとも思っていない。

この曖昧な沈黙が押し込めているもう一つのものは、楓が抱える戦争の恐怖だ。楓は戦闘機が、戦争がこわいのだ。原爆資料館や写真展、テレビや映画の映像。「戦争で足をうしなった子ども」や、「頭がふくれあがった子ども」のシーンなどがこわくてたまらない。いつ戦争が起こるかもしれないと思う楓は、戦争の夢を何度も数えきれないほど見る。それはいつも爆撃機に追われる夢だ。


ギィーン。どんどん近づいてくる。耳をふさぐ。

大きな鳥のようなものが上からかぶさってくる。

あー。

さけんで、目がさめた。

こわい。体がかたくなっていた。どくんどくん、心臓がものすごく速くうごいている。（……）戦争が、やっぱりもうじき起こるのかもしれない。そんな気がする。だれかが、なにかをたくらんでいる。かくされているけれど、戦争の準備はもうすすんでいて、あるとき突然、爆撃機が空にあらわれるんだ。そのときにはどうしたらいいんだろう。どこに逃げればいいんだろう。

布団を頭からかぶった。戦争がぜったい起きないって、だれがいえるの。


しかし、楓は自分の不安を誰にも理解してもらえたことがない。戦争が怖いのは、どうやら自分だけらしいのだ。母に「戦争が起きるかもしれないよ」と言うと、「起きやしないって」と言われてしまう。「ほかの人はわたしみたいに戦争の心配なんかしてやしない」ように見える。楓が胸の内に抱えている恐怖や不安は顧みられることなく、言葉は消えていってしまう。

岩瀬成子は岩国からほど近いところで生まれ育った作家だ。デビュー作の『朝はだんだん見えてくる』（理論社、一九七七）も岩国を舞台にした自伝的な物語であり、フレンドシップ・デー（当時はオープン・デー）の描写が出てくる。まだベトナム戦争の記憶が生々しい頃であり、反戦のデモも行われている。渋滞した車から「おーい。がんばれよぉ。わしらは、戦争の苦しみを、よぉく知っとる」と声がかかる。駅前から基地にさしかかるフォーコーナーには機動隊がデモ隊を待ち構え、基地の中では攻撃機のショーが行われている。


「あんなので爆撃されたら、とてもじゃないが生きのびられないゾ」

戦争キカイのひとつの象徴だ。人びとをあやつり、追いかけ、そして殺す。殺しつくす。

「ねえ、どうなるの。どこへ飛んでいくのよ、あれ」——奈々が、どなった。

「必要と思えるところへ、どこへでもさ」

子供たちが、最新型攻撃機《ハリアー》のショーにうかれて、走りまわる。だれもかれもが見上げている。何百、何千、何万の目が、そのショーをみつめている。だぁれも、あしたのことなんか知りゃしない。だけど、誰かが、あれを作っている。研究を重ねて、人びとの知らないところで着々と、誰かが、あれを作りつづけてるんだな。


（『朝はだんだん見えてくる』）

それから四十年近くが経過したこの作品のフォーコーナーでは、基地にデモ隊もおらず、戦争の恐怖も基地への疑問も楓の夢の中に閉じ込められている。戦争を知っている世代の声もまったく聞こえることはない。ここから飛び立つ航空機が、ベトナムやイラクの子どもたちを銃撃したことを誰も口にしない。

この、今の基地と日本人の距離感を象徴するような場面がある。四つ年上の幼なじみ、悠が基地を見下ろす高台に楓を連れていくシーンだ。基地から大型、小型の機が飛び立ち、ライトを点滅させて軌跡を描く風景を、悠は「なんていうか、これって平和な眺めだよなあ」と言いつつ、写真に撮る。悠は写真部で、基地の町の撮影を重ねており、ブレッソンの言葉などを引用する大人びた少年だ。彼はいつも町中の「美しいといえるものでもなく、しるしになるようなものでもなく、特別な意味などありそうもない、ごくありふれたもの」を撮っている。

「言葉ってもんは不自由じゃん」

悠ちゃんはふりかえって、いま歩いてきた路地を撮った。

（……）

「カメラで見ると、はじめて見えてくるものがあるんだよなあ。ぼくはね、見たいの、つまり。いいものも、わるいものも。きれいなものも、きたないものも。そういうこと」

生まれ育った町の風景を客観的に切り取る悠の眼差しは、平和維持と称して最強の軍隊が駐留しつづける違和感を日常の風景の中に捉えている。紀理ちゃんがうまく説明できないままに楓に言った「もう、わたしと付きあったりしないほうがいいよ」という一言の中に、何が潜んでいるのか。この物語はその言葉をめぐる旅であり、その過程で自分の日常の中にある、見えにくくて複雑に入り組んだものに初めて踏み込んでいく少女の成長を描く物語でもある。悠の言葉を通して、岩瀬は、この町で大人になる楓が出会っていくものを、さりげなく示唆しているのだろう。

遠景で見れば穏やかで平和な日本。その中の戦争は、楓と紀理という二人の少女の間に線を引く。戦争は、眼に見えない場所に隠れてしまったぶん、私たちの日常に深く入り込み、分かちがたいものになってしまったようにも思える。紀理は自分の父と他の大人たちの間を分断する空気を感じながら成長してきたはずだ。

社会学舎の岸政彦は『マンゴーと手榴弾――生活史の理論』（勁草書房、二〇一八）の中で、沖縄の普天間飛行場の近くに住む女性に聞き取りをおこない、その言葉を紹介している。世界一危険と言われるほど市街地に隣接している基地の騒音は並大抵ではない。隣家の父親は軍で働いており、幼い子どもたちのうち、「上のにいちゃんは、お父さんのことよくわかってるからだと思うんだけど、ちっともうるさくないよって言う」そうだ。子どもは敏感に大人の立ち位置を見ている。基地をめぐる問題が複雑になるにつれ、お互いに口に出せないことが増えていく。

沖縄と同じく、日本にありながら日本人には不可侵の場所である基地と日常が交わるフォーコーナーは、岩瀬の作品の中で特別な場所なのだ。

他者の中にかくれている物語に気づくとき

この物語には紀理との関係との他にもう一つ小さな事件として、東京から岩国に戻ってきて隣に住む叔母の失踪という出来事が描かれている。母の妹で独身の花絵は料理研究家、華やかで自由な雰囲気を持つ人だ。その花絵が、雨の日に飼い猫を残してふと出かけたきり、帰ってこなくなった。昨日まで一緒に機嫌よく料理を作っていた人が、ほっそりした体に何を隠し持っていたのか、楓はわからなくなってしまう。

結局、花絵はまたふらりと東京から戻ってくる。東京に行った本当の理由は、どうやら過去の恋人に関係することらしいが、楓はあえて何も聞かず、母も、心配して怒っていたことや、東京まで探しに行ったが空振りに終わり、疲れて帰ってきたことを忘れたような顔で花絵と話している。母や叔母という一番身近な人たちも、複雑に入り組んだわけのわからぬものを抱えて生きている。

自意識の芽生えは、身近な人々や自分の中に、他者の存在を認識することから始まる。過ぎてしまえば、あっという間に忘れてしまうような子どもの日々と感情を繊細に描いていつも私を唸らせる岩瀬は、母や叔母という役割の向こうにあるひとりの人間としての姿や葛藤に触れ、揺れ動く楓の心を鮮やかに描いていく。なかでも一番大きく楓を揺さぶるのは、やはり思春期のまっただ中にある紀理との関わりだ。

楓は、一つ年上で賢い紀理のそばにいると安心で、いつもくっついていた。あの一言があってから、楓にとって紀理も捉えがたい存在になってしまったが、それでもある日、自転車でどこかに向かう紀理を見かけた楓は、思わずあとを追いかけて末広さんのいる病院にまで来てしまう。病室の父を見る紀理の眼差しは限りなく優しい。以前の紀理は、フォーコーナーに立つ父をにらむような目で見つめていたのに。

紀理ちゃんに、と母が作ったちらし寿司を届けにいった楓に、紀理は明日付きあってほしいという。久しぶりに誘われた楓は喜ぶが、紀理は楓が思ってもみなかった行動に出る。基地の正門に、父のかわりに紙を配りにいったのだ。紀理は楓に紙束の半分を渡し、基地に入るアメリカ人に渡すように言う。B5の大きさの紙には、英語で何か書いてある。守衛のおじさんに叱られても、アメリカ人に無視されたり罵られても、紀理は負けない。

「子どものくせに、なにやってるんだ。警察を呼ぶぞ」

おじさんの声には怒りがこもっていた。おじさんは紀理ちゃんの腕をつかんで、出入り口から遠ざけようとした。

「おじさんになんの権利があって、そんなことができるんですか」

紀理ちゃんは身をよじったけれど、おじさんの腕力のほうがはるかに強かった。紀理ちゃんはひきずられるようにして門から遠ざけられていった。(……)

「くそったれ。あっちへ行け」

おじさんはこわい顔でわたしたちをにらみつけた。「しっ、しっ」と、手で追いはらうしぐさをしながら、足をどんどんとふみ鳴らした。

行こうよ、紀理ちゃん。わたしはちいさい声で紀理ちゃんにいった。

紀理ちゃんは唇をひきむすんで、泣きそうな顔をしていた。わたしはそっと紀理ちゃんの腕をとった。

もう、わたしと付きあったりしないほうがいいよ、といったんは突き放した楓を連れていったのは、やはり紀理自身も怖かったからなのだろう。体格も年齢も上の男性の怒りに立ち向かうのは、大人でも恐ろしい。それでも逃げ帰ることもなく、別の方法でなんとか紙を配ろうとする紀理を、楓はひとりにはできなかった。楓が、悲しい目をしながらも何かと戦っているのがわかったからだ。紀理は紙を米軍住宅のポストに入れながら、楓に父親のことを語り出す。入院する前に、自分の病気が深刻なものと覚悟した末広さんは、紀理に自分の活動について話をしていたのだ。ずっと基地反対闘争をしてきたせいで刑事につきまとわれ、勤めていた会社を馘首になり、再就職もままならないこと。誰もがフリーパスで入れるフレンドシップ・デーにも危険人物としてブラックリストにのっている自分は基地には入れないこと。

平和な日常の裏にあるこの圧力が私たちの口をつぐませる。戦争の記憶をきちんと受け継がないまま残されたタブーだけが広く深く浸透した日本の社会には、不都合な真実を見ないようにする習慣だけが、賢いふるまい方として根付いてしまった。その中でたった一人声をあげてきた末広さんの姿は、賢くふるまう人たちからは、まるで巨大な風車に突撃するドン・キホーテのように滑稽に、青臭く、痛々しく見えただろう。しかし、「だれからも認められないことをしつづけていると、滑稽に見えてしまうことがある」「滑稽なほどやることだよってわらって」いた末広さんは、自分がどう見えるのかもよくわかっていたのだ。「ぺこぺこしながらアメリカ人に紙を受け取ってもらっているんだ」と思い、そんな父の姿を惨めだと思っていた紀理は、はじめて誰にも真似できない父の強さを知った。ここにも、一番身近な人が抱えている意外な姿を知って、父親をひとりの人間として見つめなおした少女がいる。

「自分のやっていることを日本政府もアメリカ政府も知らない。そんなことをしてなんになる、という人もいる。でも、だからって、それが自分の考えをかえる理由にはならないんだよ、と父さんはいったの。（……）父さんがそんなことをわたしにいったのは、はじめてだったんだ」

大きな流れからはみ出さぬように、息を潜めて沈黙を守り、多数派に同調することをよしとしているうちに、戦争は形を変えて私たちの社会の底にわだかまり、うごめきつづけている。

アメリカの外交や軍事政策、軍事基地の研究を長年にわたって行ってきたデイヴィッド・ヴィアンは、『米軍基地がやってきたこと』（西村金一監修／市中芳江・露久保由美子・手嶋由美子訳、原書房、二〇一六）において、米軍が占領し、自分たちの島として支配しつづけたいがためにグアムやプエルトリコなどに対して行ってきた強制立ち退きや事実上の植民地としていた支配関係について「二一世紀においても、たとえ新しい名目のもとに新しい言葉を使っても、私たちの基地国家が植民地的関係の永続化の上に成り立っていることをはっきり示している」と述べている。第二次世界大戦末期、唯一の地上戦で四人に一人の死者を出した沖縄に、復帰後もずっと基地の重荷を押しつけてきた暴虐に対して、他地域の国民の声がなかなか上がらないことからも、沈黙の習慣化が生み出してきた無関心を感じる。だからこそ、ずっと社会から排除されつづけてきた末広さんの中に潜む芯の通った強さに心打たれるのだ。その父と同じことをしてみた紀理の勇気、瑞々しい心が初めて知った痛みも私の心を震わせる。

この物語が刊行されたのは二〇一一年十月、東日本大震災の年だ。震災とそれに続く原発事故は、この国の戦後のあり方を問い直す出来事だった。なぜ、世界で唯一の被爆国である日本の狭い国土に五十基以上もの原発が建設されているのか。いったん事故を起こしてしまえば、未来永劫にわたる危険を垂れ流すものを、身の内に抱えて平和利用などとうそぶいていた愚かしさ。日々あたりまえに使っている電力がどこからやってくるのかも、原発の立地地域が地方の海沿いに限られている構造についても、深く考えをめぐらせたことがなかった。そんな自分を含む日本人の沈黙と無責任の底に何があるのかを探っていくと、必ず戦争の問題に突き当たる。『ピース・ヴィレッジ』がこの時期に刊行されたことも、多くの日本人が目をつぶり、見ないようにしてきた「基地」をもう一度問い直す意味があったのではないだろうか。

紀理は言う。「楓ちゃんちの商売は、基地がなくなったら困るんだよね」。楓は、どう答えていいのかわからず、紙を配りつづける紀理の横で、ただ立ち尽くすしかなかった。祖父が開き、父が働く店に楓は時々行くし、昔なじみのお客さんもいる。祖父の古くからの知り合いであるマークさんの店にもよく遊びにいき、景気のよかった頃の二人の話を聞いたりもした。店が続いてほしいと願うことは、紀理や紀理の父と対立することなのだろうか。楓は、これまで一心同体のように思ってきた紀理と自分との間が、大きなもので遮られているように思う。

「あたしも、そんな思いをしたことならあるよ。ある人を理解したいと思ったときに。その人をわかりたいと強く思えば思うほど、理解することなんて結局できはしないんだと思い知ったの。人はだれともけっして同じになることはできない。どんな場合もひとりなんだと、そういうことがね、いきなり胸に突き刺さるみたいにわかったのね。（……）」

紀理と紙を配りにいった話を聞いて、花絵はこう教えてくれた。楓は、「人はひとりなんだ」ということを初めて強く意識し、紀理から離れたひとりの自分が何も持っていないことに気がつく。そして楓は、ピース・ヴィレッジで英語を習いはじめることを決める。

ニコラスさんという館長と森野さんという世話役の女性がいて、地元の子どもやさまざまな人が集うピース・ヴィレッジに毎日来るトニーという兵士がいた。すこし前に楓は、トニーが娘のジャネットに贈るプレゼントを選ぶのを手伝ったことがある。そのとき、トニーは遠く離れた家族の話を、英語のわからない楓にも伝わるほど嬉しそうに話しつづけたのだった。そのトニーがよそへ行くことが決まったのだという。兵士にとって命令は絶対的なものだ。自分がどこに送られるのか、いつ故郷に帰れるのかもわからない。

トニーはジャネットから、さらに遠くはなれることになってしまったのだ。いつになったらトニーはジャネットの元に帰ることができるんだろう。娘をだきしめることができるんだろうか。それはほんとうに、いつか実現することなんだろうか。これからトニーは、遠い国の危険な戦場に行かされるかもしれないというのに。

このピース・ヴィレッジという場所は、岩瀬自身がかつて働いていた「セレンゲディ・ピティ」がモデルになっている。アメリカの教会の支援で運営され、「良心的兵役拒否の問題であるとか、日本の民間のアパートを借りようとしても黒人には貸せないと言われたりする人種差別の問題や、軍内部での差別の問題」の相談にものる。岩国のセレンゲディ・ピティにやってくる下級兵士には、孤独な若者たちが多かった。「家庭的にも恵まれない、仕事もない、人種的にも差別されている」若者たちが海兵隊に入ってくる。

（……）軍人として前線に行かなければいけないという使命と、兵士一人ひとりは生い立ちや社会的立場を身に負っているという困難を引き受けている。そして戦地に行けば、すべてのことを自分で判断しなければならない場面が出てくる。相手を殺すかどうかということを、自分が判断しなきゃいけない。国策によって戦争がおこなわれているんだけれども、そのことを一個人が判断しなきゃいけないところに立たされる。

（岩瀬成子「米軍基地のある町から見た戦争」『わたしが子どもの頃戦争があった――児童文学者が語る現代史』野上暁編、理論社、二〇一五所収）

「アメリカという常に戦争をしている国の中で、アメリカ兵たちもまた大変抑圧されていて、葛藤の中にいる」のだ。基地の近くの歓楽街が「川下」と呼ばれていたこと、そこで米兵にモノのように殺されていったハナちゃんという米軍相手の街娼の事件があったことがセレンゲティ・ピティで働いてみようと思ったきっかけだったことを岩瀬は述べている。基地の町は、兵士たちが抱えるストレスやそこから生まれる暴力も引き受けてこざるを得なかった。それは同時に、兵士たちの傷を慰撫する役割を担わされてきたことでもある。基地という巨大な装置の中と外で傷つく人間たち。

『ピース・ヴィレッジ』の中でも、タキが一度米兵に放火されたことが書かれている。それでも楓の祖父は、どこにも行かずにここで店を続けてきた。タキの壁には、アメリカ兵たちが残していった一ドル札が無数に貼られている。札にはマジックで、名前や、最後に来た日付や、所属部隊名などが書かれている。兵士であろうと、基地のそばに住む小さな女の子であろうと、米軍相手の街娼であろうと、「ひとり」の中にさまざまな生い立ちと歴史と感情を抱える存在であることには変わりがない。

ヴィレッジやタキは、使命や国家への忠誠といった兵士としての立場の中に収まりきらない、人間としての苦しみや痛みを受け止める場所なのだ。

楓はある日、生まれて初めて一人でバスに乗り遠出をする。それはほんの小さな旅だが、いつもと違う風景の中で、楓は紙をアメリカ人に渡すのを怖がった自分のことを考える。

紀理ちゃんがアメリカ人たちにわたそうとした、あの紙に書かれていたことはまちがったことじゃない。核に反対するのも、戦争に反対するのも、軍事基地はいらない、も。それなのにわたしは、自分がいけないことをしているような気がしていた。だれかにまた見つかって、いまにも叱られるんじゃないかと、びくびくしていた。フォーコーナーの角で、わたしは紀理ちゃんのうしろにかくれるように立っていた。逃げだしたい気持ちで。

「ひとり」の言葉に耳をすませる

楓は、紀理が同じ恐怖の中で、あの時何を考えて紙を渡していたのかを想像する。父を失うかもしれないという痛みと、失いたくないと思う祈りがあの行動の裏にあったのかもしれないと考えたあとで、タキに行きたくなったのは、そこが人間の弱さを優しく受け止める場所だからだ。楓は、紀理という他者の痛みと葛藤を通じて、初めて自分が「だれともけっして同じになることはできない」「どんな場合もひとり」の人間であることを自覚した。そして、その「ひとり」の声を抑圧する何かが自分たちの暮らしの中に深く浸透し、根付いているということに気づいた。この少女の覚醒の瞬間に立ち会うのは、なんとドラマチックなことだろう。日本という国が沈黙に押し込めてきたものが具現化されているようなフォーコーナーで、これからどう生きるのかという出発点に立った少女の覚醒は、私たち日本人が何度も立ち返らねばならないプラットフォームのような場所だと思うのだ。

花絵が新しく立ち上げた料理のホームページを楓に見せ、意見を聞きたいという。楓を子ども扱いせず、いつも対等の人間として語りかける花絵のことを、楓はもっと理解したい、ここにいてほしいと願う。紀理と「あれからどうなった?」と尋ねると、「あれから遊んでない」と答えた楓に、何も言わずに美味しいタコスを作って、花絵は言う。

「耳をすませてごらん。夜には、いろんな音がきこえるのよ。飛行機の音がやむと、いきなり、しいんとするでしょう。なんていうか、とんでもないほどの静寂がくるじゃない。そのとき、耳はどんなちいさな音だってきいてしまうのね。遠くを走る電車の音もきこえる。どこかでかかっているラジオの音もきこえる。だれかのくしゃみもきこえる。こんど、きいてごらん。ゴーッとエンジン音がきこえて、ぱたっとやむ。そのとき戸をあけて、外の音に耳をかたむけてごらん。きっとなにか、きこえる」

人と人とを隔てる大きな音をたてる巨大なものの影に、必ず人間の小さな声がある。心の耳をすませて、かき消されそうなその声に耳を傾ける。

楓は、独立記念日に基地から打ち上げられる花火を、今年も紀理と見たいと思う。怖々誘うと、紀理はあっさりと承諾してくれた。楓は、悠と離発着する戦闘機を見た基地を見下ろす高台に、紀理を連れていく。岩国の夜景の中に、オレンジ色の巨大な光の船のような基地が浮かんでいる。近くから見れば巨大な基地も遠景から見ればちっぽけで、その中にはやはり、自分たちと同じ「ひとり」の人間たちがいる。二人は、紀理の携帯から流れるエリック・クラプトンの『ティアーズ・イン・ヘヴン』を聴きながら、基地からあがる色とりどりの花火を見る。紀理は楓に言う。

「父さんのくばっている紙にはね、『あなたもわたしも同じ立場にいる』と書かれているの。『わたしたちは力をもたない市民だ』と。『だから、政府にかんたんに利用されてはいけない。政府の力で戦場に送りこまれて、人を殺してはいけない。また殺されてもいけない。わたしたちは一人の市民として、起きていることを知ろうとしなければいけない。自由に自分の考えをあらわさなくてはいけない。人間の誇りをうしなってはいけない』と、そんなことが書いてあったんだ。父さんが入院してから、わたし、ぜんぶの言葉を辞書でしらべたんだ。けっこう時間がかかったけど。それから言葉をつなぎあわせて考えているうちに、すこしずつ意味がわかってきた」

「一人の市民」とわたしはいった。ひとり、か、と思った。おばさんもいっていた。ひとりだ、と。

父は「一人の市民として、一人の市民にむかって」語りかけていたのだと紀理は言う。反対か賛成か、右か左かの二元論ではなく、一人と一人の人間としてなら、私たちは語り合い、お互いの言葉に耳をすませることができる。大人たちにタブーとして黙殺されている末広さんの言葉には、違う人間同士がともに生きるための大切な理想と原則がこめられている。しかし、一人の市民、ひとりの人間として生きつづけるのは、簡単なことではない。この末広さんの言葉の陰には、何度も絶望に突き落とされる孤独と、絶え間ない努力がある。
紀理と楓が末広さんの言葉を胸に刻むこの夜は、ひとりの人間として、真摯に他者と向かい合おうとする者たちだけが手にする心の共鳴と誇らしさに満ちている。幼い息子を不慮の事故で失った悲しみから生まれたクラプトンのメロディに重なるようにして、次々にひらく花火。覚醒にふさわしい背景だ。
帰り道、楓は紀理をマークさんの店に誘う。古い店内には、やはりびっしりと一ドル札が貼られ、マークさんは笑顔で二人を迎え、楓がリクエストした『ティアーズ・イン・ヘヴン』をかけてくれる。天国にいる息子に語りかけるクラプトンの歌声は「おとなの大きい腕でだきしめられているよう」に限りなく優しい。

わたしたちのいるカウンターの上に、ちいさなオレンジ色のスポットライトがぶらさがっていた。店内はうす暗かったけれど、わたしと紀理ちゃんはちいさな太陽の下にいるみたいだった。わたしは、さっきの夜の空を思った。空の果てのことを思った。すると、腰かけている椅子が床から浮きあがっているような感じがした。ほんの数センチ、床から浮いている感じがした。

巨大な基地の航空灯火と、ふたりの少女が寄り添う小さな灯りが、同じ夜空の下にある。しかし、ここでは少女たちを照らす灯りのほうが、「ちいさな太陽」として温かく大きく輝いている。父のことを話しながら、「ひとりは、でも、強いよ、意外に」と紀理は言った。誰かと一緒でないと不安で仕方なかった楓は、今、紀理とひとりの人間として向き合い、語り合う。

『そのぬくもりはきえない』『きみは知らないほうがいい』『ぼくが弟にしたこと』『春くんのいる家』と岩瀬成子は、子どもと、私たちの社会に深く沈静化する暴力との関係について精力的に作品を次々に発表している。沈黙は分断を、大きな暴力を許してしまう。物語という、ひとりの人間に深く分け入る「語り」の中で、その沈黙の圧力をどう解除していくのかを、岩瀬は常に考えつづけている。

国家と民族のはざまで生きる人々

——狂気のジャングルを生き延びる少年が見た星（ムトゥ）

シンシア・カドハタ『象使いティンの戦争』

一九七五年　南ベトナム中央高地、ラーデ族の村

ティン　十三歳

民族と国家をめぐる問題が凝縮されているようなインドシナ半島。『象使いティンの戦争』（シンシア・カドハタ、代田亜香子訳、作品社、二〇一三）は、ベトナム戦争と少数民族をテーマにした珍しい作品だ。主人公の象使いの少年ティンは生と死の間をめぐる迷路のようなジャングルで悩み、苦しむ。彼がその果てに見た星（ムトゥ）とは何かを考えてみたい。

先住民族とベトナム戦争

南ベトナムの中央高地の村に生まれ育ったティンは十一歳。父さん（アマ）と母さん（アミ）、五歳になる妹のジュジュビー、二歳年上の姉のユエと住む高床式の大きな長屋には、伯父や伯母など一族がそれぞれの居室に暮らしている。結婚した男女は、女性の家に男性が一緒に住む習わしだ。ラーデ族という先住民族の日常の風景が、物語の世界に私たちを引き込む。部族の旗にも、住居に上がる刻み目のついた丸太にも象の意匠が刻まれている。体の大きな象を操るために、象使いは鋭く尖ったフック（鉤）で強く象を叩くが、象を愛しているティンは、いつか象使いに――フックを使わなくても象が言うことを聞く象使いになりたいと思っている。象は、ともに長い歴史をこの土地で生きてきた部族の象徴のような存在だ。

物語が始まる一九七三年は、泥沼化したベトナム戦争からアメリカが撤退を決めた年だ。ティンの住む村は都会から離れた中央高地にあるおかげで戦争の影響を直接受けずにすんでいたが、アマはアメリカの特殊部隊の仕事を請け負っていた。ジャングルに残る足跡や草や枝の折れ具合などの微細な痕跡から、人数や性別、通った時間や方向などを読み取るトラッキングは、科学捜査の鑑識作業のような緻密さを要求される。狩りのために鋭い五感を持つ山の人（デガ）の能力が最大限に発揮される仕事だった。

ある日、馴染みのシェパード軍曹が父さんに、最後の仕事を依頼してくる。北ベトナム軍の中隊が張っていたキャンプ跡までトラッキングし、その規模を知りたいというのだ。

（……）「任務だったら、ぼくもついていっていい？　前に、そのうちいかせてくれるって約束したよね？」

「そのうちいかせてやるかもしれない、といっただけだ」

「アマ、ぼくがアマのかわりに足跡の追跡（トラッキング）をするよ。ぼくがうまいの、知ってるよね？」

任務に連れていってもらうことになったティンは、大人扱いされて父さんと一緒に任務につけることが誇らしくて仕方がない。軍曹は、今回の仕事は「順風満帆」であり、危険はないと言う。父さんと友人のビアさん、ティン、シェパード軍曹と部下の兵士の七人は中隊の足跡をたどってジャングルの奥深くに入っていく。しかし一行が北ベトナム軍のキャンプ地を見つけ、ティンが三時間かけてそこにいた人数を数え終わったあと、銃撃戦に巻き込まれる。銃弾は、ビアさんの胸を貫き、命を奪う。安全だと保証された任務は生死の境目を歩く危険なものだった。戦争に順風満帆などありえない。ティンの父は、なぜ子どものティンを任務に連れていったのだろう。

ベトナムは、人口の大多数をしめるキン族と、多数の少数民族で構成されている。少数民族は言葉もいくつかの系統に別れ、人数もさまざまだ。キン族がどんどん平野部に勢力を拡大した過程で、少数民族が山岳部に追い込まれていった歴史がある。一九世紀後半、この地を植民地にしたフランスは高原に学校や病院や裁判所を備えた町を作り、住民たちをプランテーションの労働力として働かせる一方で、自治権を与えもした（菊池一雅『ベトナムの少数民族』古今書院、一九八八）。物語の中でも、ティンが通う学校は一九五〇年代にフランスが作ったものであり、七〇年代後半になっても授業はフランス語で進められている。植民地政策の波が山深いこの地域にも確実に押し寄せていたことがさりげなく描かれている。

第一次インドシナ戦争後、ベトナム共和国のゴ・ディン・ジェム政権は、この地に住む少数民族をキン族に統合させるためにさまざまな同化政策を強いた。それに対抗するため、ラーデ族は他の部族たちとともにＦＵＬＲＯ（被抑圧民族解放統一戦線）を結成する。アマもこの一員だ。ＦＵＬＲＯはカンボジアのシアヌーク政権と結びついていた背景もあり、ティンの住む中央高地は、北ベトナム軍とも多数派であるキン族とも緊張関係にあった。

第三章の始め、ティンが、自分の象であるレディに水浴びをさせ、ともに村に向かうときに、いきなり南ベトナム軍の兵士に出くわすシーンがある。

南ベトナム軍の兵士がふたり、レディの目の前に出てきた。南ベトナム人もデガ（山の人）も、この戦争ではアメリカ側につく味方同士だけど、やっぱり兵士はこわい。

「おい、モイ！」ひとりがティンに声をかけた。〝モイ〟というのは、未開人という意味だ。ベトナム人は、北の人も南の人も、ティンの部族をそう呼ぶ。だけど、面とむかって呼ばれたのは初めてだ。ティンは、怒りがこみあげてくるのを感じたけれど、だまっていた。

北と南に別れて戦争をしている国で、ラーデ族はそのどちらからも侮蔑的な扱いを受けてきた。何重にも抑圧されてきた彼らの立ち位置は非常に難しい。アマは「正しいこととまちがってることを見きわめるのにたっぷり時間をかける」人だ。自分の軸足をどこに置くのか、考え尽くして特殊部隊に協力したのだろう。トラッキング技術をティンに教えこんだのも、この時代を生き残る術と部族の存続をかけて、もしくはゲリラとして戦わねばならぬ時への準備のためだ。ティンはゲーム感覚だったかもしれないが、父親は子どものティンを訓練し、ティンは子どもならではの覚えのよさでトラッキング技術を身に着けていた。しかし、その能力を戦争で使うということの恐ろしさを、この時のティンはまだ知らなかった。

（……）ティンは、自分のせいだと思った。あのときぼくが数えおわるのを待っていなければ、ビアさんは撃たれなかったはずだ。戦争にはこの罪悪感がつきものなんだろうか。ビアさんの三つの魂が、もう肉体をはなれていったのがわかる。

ビアさんが撃たれたのは、さまざまな状況の積み重ねの結果だ。しかし、ティンはこの結果に自分の責任を見てしまう。戦争が子どもを加害者にしてしまい、容赦なく重すぎる責任を負わせる。しかし、ティンにとってそれは、後の苛烈な体験のほんの序章にすぎなかったのだ。

ジェノサイドの村で生まれる憎しみ

アメリカがベトナムから去って二年が経った。ティンは村で最年少の象使いになっている。ティンの夢は、村に象の調教の訓練学校を作ることだが、ティンは教科書を使って勉強をしなければならない学校が好きではない。母さんは学校に通っておけば、街に出てもっといい暮らしができるという。しかしティンにとっては、象のそばにいることが一番の幸せなのだ。今、レディのお腹には赤ちゃんがいる。そして、姉の一五歳のユエは三年後に同い年のピオクと結婚することが決まった。昨日と今日と明日が切れ目なく繫がっているかのような、穏やかな暮らし。ティンは、この土地に、レディと一緒にこの先何十年も生きていくことを信じて疑わずにいる。まだティンの意識の中では戦争は遠い。

しかし、やがてティンの学校の窓が銃撃で割れたりする事件が起こるようになる。一九七三年に結ばれたパリ協定でアメリカはベトナムから引き揚げたが、それは「米軍抜きの新しい戦争がはじまった」（小倉貞男『ドキュメント　ヴェトナム戦争全史』岩波書店、一九九二）ということであり、アメリカが手を引いたことで、かえって南ベトナムでの戦闘は激化した。この一九七五年は、北ベトナム軍が南ベトナムに総攻撃をかけた節目の年であり、中央高地の主要な町であるバンメトート（文中ではバンメート）は、北ベトナム軍がサイゴンに南下するための要の場所として総攻撃をかけたところだ。

ある日ティンは父から、ジャングルに移住してゲリラのキャンプをはる決意を聞かされる。アメリカの特殊部隊に協力してきた男たちがたくさんいるこのデガの村は、北ベトナム軍やベトコンが来れば命が危ない。アメリカ人はパリ協定が破られたときには助けてくれると約束したが、彼らは戻ってこない。

ティンはあおむけに寝ころがって、最初の星（ムトウ）が空にあらわれて光るのをながめていた。戦争は星のようにやってきて、最初はちらちらしているだけだったのに、どんどん強く光りだした。

やがてあたりは真っ暗になり、星しか見えなくなった。ジャングルの木の葉が風にゆれる音に耳をすます。ふいに、その音が愛（いと）おしく感じられた。顔をなでる風も愛おしい。

これがティンの過ごした最後の平和な夜だ。村で集会が行われ、村長がこの村に北ベトナム軍が近づいていることを報告し、まじない師は「二日以内に村を出ろ」と精霊のお告げを伝える。村中があわてふためくうちに、いきなり敵はやってくる。ティンは父に命じられて、レディを連れてジャングルに向かおうとする。しかし、父と一緒に逃げたはずの幼い妹が柵のところで一人泣いているのが見えた気がして、とっさにレディをジャングルの中に走らせ、引き返していくと、そこにはすでに北ベトナム軍の兵士が群がっている。その兵士たちは、いちばん年上でも「十九歳か二十歳くらい」の年頃だ。地面に伏せたところを自分と同じ年頃の少年兵に鼻を蹴りつけられて、ティンは捕われてしまう。

ここから始まるティンの部族に加えられる暴力の苛烈さは、徹底的で容赦ない。フランスの植民地支配、数え切れぬほどの餓死者を出したという日本による占領の抑圧、第二次世界大戦の三倍以上の爆弾が投下された米軍による容赦ない空爆、ソンミ村事件のようにゲリラを恐れた米軍兵士たちによるたびかさなる虐殺……ベトナムの地に押し寄せた構造的・直接的暴力の中で、子どもたちも否応なく戦争に駆り出される。まだ子どもだからこそ、洗脳しやすく、訓練次第で最も「優秀な」戦闘員に仕立て上げることができたのだ。ティンを蹴りつけた少年兵のように。

（……）子どもは一般的には、おとなにくらべて自分をコントロールする力にとぼしいものです。銃という武器を手にすれば、自分には強大な権力があると思いこむ傾向があります。ばあいによっては、おとな以上にためらうことなく引き金を引きます。上官から見れば、優秀な兵士なのです。

『世界の子どもたちは今1　子ども兵士――銃をもたされる子どもたち』アムネスティ・インターナショナル日本　リブリオ出版、二〇〇八

村はあっという間に占領された。兵士たちは男だけを集めて一つの長屋に押し込める。そこにはティンの家族はおらず、親友のユエンと、象使い仲間のシウがいた。つづいて十二歳以上の男たちが別の長屋に追いたてられていく途中、転んだ老人を助け起こそうとしたティンは、先ほどの少年兵に足首を縛られ、長屋のはしごから逆さづりにされてしまう。しばらく放置されたあと、いきなり縄を切られて地面に叩きつけられ、縛られたまま長屋の下の水たまりに放り出されたティンの中にこれまでと違う自分が生まれる。

（……）ティンは、このままおぼれてしまうんじゃないかと思った。少しずつ水位があがり、ほんとう

に息ができなくなってきた。(……)頭のなかが、自分はこのまま死ぬんだという考えでいっぱいになる。ティンはその考えを振り払おうとした。心が、邪悪な気持ちでいっぱいになるのを感じる。まるで、実は生まれてからずっと、知らない人間が自分の心のなかに住んでいたみたいだ。その知らない人間は、人殺しだ。自由になって、兵士たちを殺してやりたい。

一軒の長屋に閉じ込められて三日目の朝、ティンはシウの叫び声と銃声を聞いた。シウは一五歳でティンより年上だが、傷つきやすい、すぐに泣いてしまうような少年だ。明らかに無抵抗なこの少年を殺したのは、ティンよりも年下ではないかと思われるようなあの少年兵だった。打ちのめされたティンの前に、今殺されたシウの幽霊が現れて、ティンに「ぼくの象の世話をたのんだよ」「ドクのめんどうをみてやって」と言い残して霧のように消えてしまう。ティンは思う。

どうして象の世話をすることしか頭にない少年を殺さなきゃいけないんだ? ぼくとトマスと、あとはドクしか友だちがいない少年を?

なぜ、非戦闘員である村人が殺されなければならないのか。兵士が「おまえの父親はフルロ(FULRO)か?」「アメリカに協力していたんじゃないか? 特殊部隊の仕事をしていたか?」と聞いてくる。ラーデ族が土地の精霊と語らいながら、自分と家族の幸運を願って生きていける時代は終わってしまった。シウの魂はシウのものだが、その体は生まれ落ちたときから、どの国家の枠組みに属するのかで運命が左右されてしまう。それが近代国家と人間との関係性における残酷な一面だ。植民地支配に抵抗し、民族自決を願う戦いが、イデオロギーと大国同士の思惑と絡み合う。親米。親カンボジア。少数民族。ＦＵＬＲＯ。民族、国家、というアイデンティティで線を引き、殺しあう。そのすべての条件がそろったところで、目の前の少年を殺していい理由になどなるはずがない。子どもは、自分の民族や生まれる場所を選んで生まれてくることはできない。そこにいるのは、ただシウという象の大好きなひとりの少年だ。しかし、兵士たちの目にはシウの姿は見えず、頭の中で貼り付けた、殺していい理由の書いてあるレッテルだけが見えている。民族や国家という枠組みが個人を踏みつぶす不条理が、死してなお象を気遣う少年の魂となって浮かび上がる。戦争で真っ先に犠牲になるのは、いつも子どもたちだ。ティンとシウ、そして少年兵の三人はいつお互いがすり替わっても不思議はない存在――強者と弱者、正義と悪という立ち位置さえもたやすく変わりうる存在として、私たちの目の前に現れている。

北ベトナム軍に、男たち全員で村の墓地に大きな、深い穴を掘らされたその夜、ティンとユエンは隙を見て閉じ込められていた長屋を抜け出した。誰もいない長屋をみつけ、飢えと乾きと恐怖に襲われながらそこに隠れて逃げるチャンスをうかがう。三日目の夜、なにかがはじけるような音と煙の匂いに目を覚ました二人は、それが家が燃える音であることに気づく。二人は長屋を飛び出し、追ってくる兵士を振り切って脱出に成功する。

（……）いま大切なのは、少しでも村からはなれることだ。
　とはいえ、つぎの一歩を踏みだす前に、ティンは村のほうを振り返った。葉がおいしげっていて、何も見えない。それでも、ふいにわかった。つかまった人は全員、もう死んでいる。（……）

この作品には、ベトナムの少数民族が、差別感情も含めて非常に危うい立場にあったことが綿密に織り込まれている。民族と国家の事情にたやすく左右されてしまう人間の姿と対照的に、常に変わらないのは象たちだ。ティンとユエンは、ジャングルに逃げ込み、先に脱出した年上の少年トマスに会うことができた。トマスは三頭の象、レディ、ドク、ゲンと一緒だ。

レディが見せてくれた変わらぬ愛情はティンを幸せにする。しかし、兄弟のように育った親友のユエンと、象使いの先輩で尊敬していたトマスの態度はどことなく棘があり、ティンはことあるごとに衝突してしまう。ティンはトマスの命令で村の様子を見に戻らされるが、たどりついた村は焼き払われ、ティンたちが掘った深い穴には村人たちの死体が埋められていた。

前にジャングルで爆弾が落ちた場所を見たとき、ふしぎに思った。どうして爆弾なんか落とすんだ？ なんの意味があるんだろう？ いまティンは、村人の半分を殺した兵士たちに爆弾を落としてやりたいと思った。二百五十人を殺し、この村を焼きはらい、おそらくはほかの村も焼いただろう兵士たちの上に。そして、その兵士たちと話がしたかった。たずねたかった。どんな気分だ？ 村は破滅したよ。どんな気分がする？ 二百五十人が、土のなかに埋まってるんだ。どんな気分？ そんな質問に対する答えを聞きたい。

ティンは、こんなにはげしい怒りを感じている自分がいやだった。前はきれいだった心が、いまでは憎しみで汚れてしまったような気がする。レディに会いたい。レディの背中に横になって、心を洗ってもらいたい。

自らもベトナム戦争に従軍したバオ・ニンが書いた『戦争の悲しみ』（井川一久訳、河出書房新社、二〇〇八〈池澤夏樹＝個人編集 世界文学全集〉『暗夜／戦争の悲しみ』所収）では、「数えきれぬほどの死者の魂が、彼岸へ旅立つこともかなわぬまま、森の中のあらゆる茂みや谷川の流れに沿ってさまよってい る」という「集魂の森」が「この地域に染みついた残虐無比の戦争の記憶」として語られる。ジャングルを走り抜けながらティンは、「一生ほっとすることなんかないのかもしれない」と思う。この数日間でティンは身をもって暴力を体験し、身近な、親しい人々を残虐に殺されたり傷つけられ、人の心が変わってしまうことを見せつけられた。父さんは「ジャングルは人を変える」と常々言っていた。軍の仕事もしていた父のこの言葉にはさまざまな意味が込められていただろう。戦争のなかで起ることは、人を、それまでの人生を変えてしまうのだ。

生まれた村へのトラッキングに身も心もすり減らし、再びキャンプにたどりつくとトマスとユエンの姿が消えている。ティンから逃げたのだ。何とか二人に追いついたティンだが、そのうち二人から本音が漏れる。村がこんな目にあっているのは、「おまえのせいだ」、特殊部隊の仕事をしていた父さんのせいだというのだ。「おまえの父さんは、ぼくたちみんなに災いをもってきたんだ」

食べ物をめぐって、誰がリーダーになるかをめぐって、象の扱い方をめぐって、ことあるごとにトマスとユエンは「おれたち」とティンの間に線を引こうとする。戦争はあっても遠かった村で、幸不幸を決めるのは常に精霊であり、正しいか正しくないかを考えるのは大人の役割だった。右も左もわからない状況の中で、何に怒りや不安をぶつければよいかわからぬ少年たちが、お互いを傷つけ合い、その結果、新たな憎しみが生まれる。この憎しみの渦がお互いの顔にこれまでなかった「敵」というレッテルを貼る。作者は、初めて苛烈な暴力に身をさらした少年たちの戸惑いと痛みを通して読み手に問いかける。人は、暴力に左右されるだけの存在なのか。複雑で多様な存在であるはずの私たちの人間としての在り方は、常に民族や国というひとくくりのアイデンティティに左右されるしかないのか。どの民族や部族の一員として生きているのかに翻弄されるのが人間の運命なのか。個人のあらゆる自由を無効化し、この属性のみが命の行方を決める戦争という巨大な迷路の中で、ひとりの人間の責任はどこにあるのか。そして自由はどこにあるのか。

国家も属性もレッテルもないつながり

この問いかけに応える鍵は、ティンが何より大切にしていた象のレディだ。象たちは村で繋がれていた鎖から解放され、いつでも自由になれるにもかかわらず、少年たちとずっとともにいる。少年たちが眠るときも、三人を守るように取り囲む。ほかの二人と仲間割れした夜、ティンのそばにわざわざレディがきて眠ってくれる。たとえフックが怖くても、象たちが本気になれば少年に負けるはずがないが、象たちは彼らから離れず、まるで保護者のようによりそう。象たちとの、国家も属性もレッテルもない結びつき。象たちの眼差しは、曇らない。

しかし妊娠中のレディは急に現れた野生の象の群れが気になって仕方ない。象は普通、雌の群れで子育てをする。そのせいだろうか、これまでティンの村で生まれた子象は大人になることができなかった。前回のお産で生んだ子どもを死なせているレディは野生の群れを追いかけ、しばらく行方をくらましたりする。それは象の本能によるものだろうが、生き残った同胞の足跡をトラッキングしながら移動してゆくティンたちの前からいつまた姿を消してしまうかもしれないレディの行動は、心がささくれだっているティンには自分への裏切りに思えてしまう。ティンは「自分の友だちも、自分の象も、ジャングルにきてから何もかもが変わってしまった」と思う。

朝になると、レディがまたいなくなっていた。ティンは地面に頭をがんがん打ちつけてくやしがった。まただ。信じられない。ティンはすぐレディの足跡を追いはじめた。二時間くらいすると、象の鳴き声が聞こえてきて、レディがいた。今度は小さい湖の近くだ。きのうと同じように、幸せそうに見える。ふつうなら、象は血のつながりのある雌だけで群れをつくる。だけどどういうわけか、この群れはレディを受けいれたらしい。

そしてやはりきのうと同じように、レディはティンを見つけるとかけよってきた。ティンは思わず、フックをもってくればよかったと思った。そうすれば、自分がどんなにいやな思いをしているか、レディに伝えられる。

（……）どうせぼくが眠ったらすぐにレディはいなくなるだろう。心に痛みを感じる。その痛みがからだじゅうを襲う。たまに感じる胃の痛みとはちがう。ふしぎだ。空中に浮いているような気がする。まるで、痛みがからだをとりまいて、宙に押しあげているみたいだ。心臓も、胃も、頭も痛い。信念と直感と理性をたいせつに。だけど、こんなにあらゆるところから痛みに攻撃されていたら、そういうものになんの意味がある？

しかし、愛するものを失う痛みと、自分を突き落とした運命を呪って苦しみの一夜を過ごしたあと、ティンは「レディを残していくことにする」という、自分でも思いがけない決断をする。迷いと痛みに貫かれながらも、心が指し示す直感で、レディを人間の都合に縛り付けず、象としての自然な生き方に戻すことに決めたのだ。

ティンはもともと、象たちをフックで従わせることを嫌がる少年だった。力で服従させるのではなく、信頼と愛情で象とつきあっていきたい。そんなティンの人間らしい気持ちが、象たちの愛情にさそわれて蘇る。ジャングルで生き延びるのなら、象とともにいるのは大きなアドバンテージだ。またレディを財産と考えるなら、何もかもなくしたティンには貴重な存在でもある。しかしティンはどんな条件よりもレディ自身を尊重することを選んだ。この選択が、彼の大きなターニングポイントになる。

野生の群れに慣れるまでレディのいるジャングルに一人留まったあと、大切な象を解き放ったティンは、ユエンとトマスから一週間遅れて、生きながらえた村人たちのキャンプにたどりつき、家族に再会した。キャンプは父のいる兵士用のキャンプと、女性や子どものいるキャンプに別れている。妹のジュジュビーも無事だった。ほっとするティンだが、すぐに兵士として任務につくことを父に言い渡される。ティンも、シウを殺したあの少年兵のようにならねばならないのか。毎夜任務、つまり戦闘に出かけている父に、ティンはずっと考えていたことを聞いてみる。

「アマ？　ぼくたち、どうすればいいの？　みんな、これからどうなるの？」

父は、北ベトナムとベトコンと戦う、と答える。「勝てっこない」戦争を闘うのだと。ティンにはなぜ戦うのかがわからない。あんなに思慮深かったアマが、救いのない戦いに突き進もうとしている。

「だけど、アマ、わかんないよ。戦争の目的は、勝つことなの？　みんな、そのために戦ってるの？　それとも、戦うことが正しいことだから？」

（……）

「もう、そういう問題じゃない」父さんは、はげしい口調でいった。ティンの両肩をつかんで、一回強く揺さぶる。「ときどき、考えもしないうちに、一線を越えてしまうことがある。そして線のむこう側にいってから、望んでない状況に踏みこんでしまったことを知る。わかるか？　わたしは、戦うという決断はしなかった。線を越えるという決断をしただけだ」

父の言葉にこめられた悲痛な思いが胸に突き刺さる。戦争の史料を読んでいると、「気がついたら戦争が始まっていた」という人の声が必ずある。考えたつもりで、もしくは深く考えず、いつのまにか線を越えてしまった人々の、毎日の暮らしの中のどこに見えない線が引かれていたのか。ジャングルのような時代の迷路で、父は道を見誤った。では、どこを読み違えたのか、何を見ればよかったのか。線の向こう側に行かない道はあったのか。しかし、そもそも難しい立ち位置にあったラーデ族に、正解などあっただろうか。自立と自由を求める少数民族がたどる道がしばしば非常に困難な場所に続いていることは、世界各地で民族紛争や少数民族への弾圧が絶え間なく起こっていることを見ても明白だ。力のあるものが、より弱い立場にある集団をどこまでも追い詰めてしまう、この世界の力関係の在り方の理不尽さが、マイノリティの人々に重くのしかかる。その中で、発言権はないが兵士として使い道があるティンのような少年がどんな姿になってしまうのかを、ティンはジェノサイドの村で見てしまった。

父は生き残った人たちを意味のない滅亡へと導こうとしている。長く特殊部隊の仕事をしてきたというバンメートから来た指揮官の言うとおりに玉砕するまで戦うつもりだ。その指揮官は、食糧としてゲンとドクを食べようと考えているという。土地を追われてしまったラーデ族は、国を持たぬ人々、この世界から弾き出された難民になってしまった。しかし何もかも変わってしまうなかで、自分たちを信じてついてきてくれた象を食べるという選択はティンにとってありえないものだ。象を食べるなんて、まったくもって理解できない、象は家や学校や本と同じように、文明社会の一部だ、とティンは思う。象は部族のシンボルであり、ラーデ族が誇りとし、大切にしてきた文化そのものだ。その象を食べてしまえば、もう自分たちには何も残らないのではないか。幾重にも罠が張り巡らされた迷路の袋小路で、ティンは兵士ではなく、人間として生きる道を探しはじめる。

暗闇に輝く星（ムトゥ）の光

伝令として出発したユエンが帰ってこないと知ったティンは、トマスと一緒になって自分を責めて憎しみをぶつけてきたユエンをジャングルに探しにいく。怒りはほどけてはいないが、ユエンの母が苦しむ姿を見てはいられない。ティンは、傷を負ってジャングルに倒れていたユエンを見つけ、背負って、キャンプへの道をたどる。

足を前に出すたびに、つぎの一歩が出るかどうかわからない。ああ、こんなことになるなんて、考えたこともなかった。ユエンの命が自分にかかってくるなんて。こんな責任、重すぎる。

ティンは幼い頃から一緒に育ってきたユエンをいつのまにか許していた。自分の肩にかかっているたったひとつのユエンの命の重みが、心に貼り付いていた憎しみを剥がしたのだ。ひとつの命はこんなに重い。

父のいるキャンプにたどり着いたティンは、ドクとゲンが食べられることに決定したと告げられる。なんとか象を救おうと疲れきった体で狩りに出かけ、ジャングルで夜を徹してもはや立ち上がれなくなったティンの前にレディが戻ってきた。生まれたばかりの子象もかたわらにいる。出産してすぐの、最もナーバスな時期に、まるでティンの危機を察するかのように戻ってきたのだ。レディの愛情が、すべてを失ったティンの胸に星のように輝く瞬間だ。

「ありがとう、もどってきてくれて。ありがとう」ティンはもう、声をあげて泣いていた。こんなふうにわんわん泣いたのは、生まれて初めてだ。からだがふるえるほど、とりつかれたかのように泣いた。

ティンは、可愛い子象にムトゥ（星）と名前をつけた。土のにおいをさせて、紅茶のような色の目をした、この子象をとにかく助けてやりたい。ティンは象が食べられてしまうキャンプには戻らず、女性用キャンプに母を訪ねて無事を告げたあと、レディとムトゥを連れてジャングルに戻ってゆく。一人でゆっくり考えたかったのだ。四日後、ティンはゲンとドクがもうこの世にいないことを感じる。死んだ仲間のシウが守りたかったドクも死んでしまった。ティンはレディとムトゥと過ごす幸せな時間の中で、他の少年たちと象を連れて湖に行ったことを思い出す。そこで象たちは、とても優雅に泳いだものだった。

ティンたちは、滝の近くで六日間、幸せに満ちたときを過ごした。ティンはいままでもたくさん幸せな日々を経験してきたけれど、この六日間がいちばんだと感じた。人生でいちばんの幸せが戦争中にくるなんて、おかしいけれど。（……）最初は、幸せはたくさんある問題を解決してはくれないと思っていた。だけど、そんなことはないと気づいた。幸せはやっぱり、問題を解決してくれる。これからどうすべきかという問題を。

（……）負けるとわかっている戦いなど、もうできない。必要な荷物を集めて、タイへ旅立とう。タイにいけば、象に関係する仕事が見つかるかもしれない。母さんは泣きわめくだろうけれど、ぼくの未来は、ぼくの愛する国のなかにはない。なんてひどいことなんだろう。だけどそれが戦争だ。

レディ親子とティンが過ごした幸せな時間が、苦しみに満ちたこの物語の中でひときわ胸に迫ってくる。ティンは象たちがくれた愛情を道標に、破滅へと続く道ではなく、生き延びる道を探しはじめる。それも、ただ生き延びるのではなく、人間らしさを失わずに生きる道だ。

レディとムトゥを再びジャングルに返したティンが、もしタイに脱出できたとしても、難民となって生きる日々は苦難に満ちていることだろう。ティンが自由になれる希望を残しつつ、部族がたどる悲劇的な末路が暗示されたまま閉じられるこの物語の結末は、カタルシスからはほど遠い。それでも、ひとりの少年が、戦争の重圧の中で憎しみに震えながらも、愛情から生まれた光に導かれていく姿を描いたシンシア・カドハタは、ひとつの祈りをこの物語にこめたのではないだろうか。国家や民族というアイデンティティの前に、ひとりの人間としての尊厳を失わず、命と愛情を抱きしめて生きることができる世界へ、という祈りを。

著者あとがきに書かれているように、アメリカはデガ（当地ではフランス語で「山の人」を意味する「モンタニャール」と名乗った）を移民として合衆国に受け入れた。特殊部隊の退役軍人たちがお金を出しあい、彼らのために土地を購入したという。

一方で、ベトナムに残った中央高地の山岳民族たちはキン族の移住政策や宗教的な弾圧を受けつづけており、中央高地は「ベトナムの少数民族問題が最も先鋭化した形で現れている地域」（伊藤正子『民族という政治――ベトナム民族分類の歴史と現在』三元社、二〇〇八）でもあるという。ラーデ族の伝統的な生活や信仰は失われ、二〇〇〇年代に入っても土地の利権に関するデモや暴動が何度も起こっている（新江利彦『ベトナムの少数民族定住政策史』風響社、二〇〇七）。

日系アメリカ人であるシンシア・カドハタは、自らのルーツを手がかりに、土地と人間との関わり、故郷を喪失した人々がどのようにアイデンティティを獲得していくのか、そして多様性を豊かに内包しつつ共存していく人間の可能性について描きつづけている。何世代にもわたり解決されない問題をはらみつつ、それでも人間らしく生きたいという願いをこめたこの作品は、暗闇に輝く星（ムトゥ）のように光を放っている。

転がり落ちていくオレンジと希望
――憎しみの中を走り抜ける少女

エリザベス・レアード『戦場のオレンジ』

一九七五年頃　ベイルート

アイーシャ　十歳

ビーチサンダルを履いた少女が走り抜けていく。レバノンの首都ベイルートを東西に分けるグリーンラインを——敵と味方を分ける道を。この作品を読むと、私の中にいつも眠っている子どもが目を覚ます。幼い私が共鳴し、震えているのは、主人公の少女が抱えている「不安」だ。親の庇護なしに自分は生きていられないのだと子どもはよくわかっている。いつ銃弾が降り注ぐかもしれない道を走るアイーシャは、ナウシカのような強さなど何も持たない。それこそ幼い頃の自分と変わらない、ただの十歳の少女だ。弟の面倒をみたりお使いにいったりもするけれど、生きるうえで必要なことは大人に任せて、あまえていていいはずの年頃。その少女が肌で感じる戦争が、息詰まるような臨場感で迫ってくる。

レバノンは地中海に面した大陸間の要所にあり、古くからさまざまな文化と宗教が流れ込んできた場所だ。キリスト教とイスラム教がさらに細かい宗派に分かれ、それぞれが議会の勢力を分け合うことでバランスを保っていた。内戦前のベイルートは金融や貿易で栄え、中東のパリと呼ばれた美しい街だった。アイーシャの両親はベイルートの南の田園地帯の村で幸せに暮らしていたが、「わたしたちの国レバノンをよそ者がうばいにやってきて」「家も畑もみんななくしてしまった」。身一つで逃げてきた彼らが暮らすのは、ベイルートで最も貧しい地域だ。アイーシャと二人の弟はそこで生まれた。

一九七〇年九月のヨルダン内戦によってPLO（パレスチナ解放機構）の本部はベイルートへと移り、大量のパレスチナ難民とパレスチナ・ゲリラ組織がヨルダンからレバノンに流れ込んだ。キリスト教マロン派優位の体制のもとで、貧しいイスラム教徒たちは彼らと連携し、勢力を形成していく。内戦が本格的に始まったのは一九七五年。本書『戦場のオレンジ』（石谷尚子訳、評論社、二〇一四）の作者、エリザベス・レアードは当時、夫とともに内戦下のベイルートに住み、イスラエルの攻撃を受けたアイーシャの両親のような南部からの避難民を見ている。

回想で語られる内戦

この物語は主人公アイーシャが、何年か後にあの日のことを回想する形で綴られる。その回想でフォーカスされるのは破壊と憎しみではなく、人間の「親切と勇気と善意」だ。

あの深い悲しみと恐怖の中で、何もかもこわされ、何もかもなくしてしまったけれど、心あたたまる思い出がないわけではない。親切と勇気と善意で満たされた思い出がある。

国が二つに分かれ、後に述べるように、話す言葉のアクセントが違うだけで簡単に殺されてしまう。物語の原題は *Oranges in No Man's Land*。現代芸術家のボルタンスキーの作品に'No Man's Land'というタイトルの作品がある。一面に積み重なる服の山が、クレーンで無造作に摑みあげられ、落とされる、おびただしい不在＝死を感じさせる作品だ。アイーシャのいる場所では、人の命が大きな暴力にゆだねられ、翻弄されている。人間同士の信頼からほど遠いと思われる場所で、レアードは何を「オレンジ」と例えているのか。世界中から見捨てられたような最も弱い立場にいる少女を描くときに、親切と勇気と善意にフォーカスして描く意味とは何か。そこを考えながら読んでいきたい。

爆撃が始まったとき、アイーシャの父は仕事を探しに外国に行っていた。祖母が赤ん坊のアメハドを抱き、アイーシャは七歳の弟のラティフを連れて道に走り出る。「あとから行くから」と言った母が残る家に砲弾が落ち、「それっきり、わたしは母さんに会っていない。」遺体も砲弾とともに吹き飛んでしまったのか。「死んでしまった」ではなく「会っていない」という言葉からは、遺体にも会えなかった母の死をまだ受け止めきれていないことを感じる。母と家という守り手を失い、この日から彼女の世界は変容してしまった。アイーシャと祖母は、弟たちを連れ町を二日間さまよったすえに、新しい居場所を手にいれる。

砲撃で廃墟のようになったアパートに彼らを招き入れ、部屋の一角に居場所を作ってくれたのは親切なザイナブおばさんだ。彼女はアイーシャが出会った一つ目の光。母性溢れるザイナブおばさんは、変容した世界の中で、死んだ母のあとを埋める存在として描かれる。おばさんはサマルというアイーシャと同じ年頃の娘を連れている。戦闘の中、避難してきた大勢の人たちと一部屋を共有し、汚れたマットレスの上で寝る生活。変わってしまった暮らしの様子はごく淡々と語られる。私たちは昨日と同じ今日、今日と同じ明日があると信じてこの世界を、自分の実在を信じている。その連続性を絶たれ、心に背負いきれない傷を負ったことを、少女の回想はまだ語りきっていないように思う。言葉にはできないということなのだろうか。私の友人は阪神淡路大震災で被害の甚大だった地区に住んでおり、住んでいた家はほぼ全壊した。あれから二十五年以上が経つが、彼女の娘たちはいまだに夜は灯りを消して寝られず、あの頃の記憶も深く語ろうとはしない。あの地震は冬の未明、夜明け前の眠りの中にあった子どもたちをいきなり襲ったのだから。

その朝、ベイルートは快晴だった……だめだめ、そんなところから話をはじめるわけにはいかない。もう少し前から話さなければ。住むところを見つけたところから。母さんが死んだあとしばらくは、何がなんだかわからないまま、すっかり落ちこんで過ごした。とくに最初の数日のことは、思い出したくもない。大切なものを失った悲しみで、気がくるいそうだった。

大理石の床や豪奢な鏡のある、もとは金持ちのものだったらしいアパートの窓は吹き飛んで、壁には弾丸の痕がいくつもある。避難民たちが身を寄せ合うこの新しい住まいで暮らしていくうちに、母さんがいた日々は、遠い昔の夢だったように思えてくる。少女は壊れかけた自分の心を守るために現実を心から遠ざけ、一種の狭窄すなわち麻痺のような状態に陥っていたのではないか。激しい戦闘はずっと続いている。夜には寝られないほど町中に爆弾や機関銃の音が炸裂する。

（……）危険から逃れられないという状況は、時には、ただ単に恐怖と怒りを誘い起こすばかりではない。逆説的であるが、超然とした心の平静さをもたらすのであり、恐怖も怒りも痛みもその中に溶け込んでしまう。（……）その人は事件が自分に対して今起こっているのではなく自分は自分の体外に離脱してこれを眺めているように思うとか、体験全体が一つの悪い夢であって間もなくそれから覚めるはずだと思うことがあるはずだ。このような知覚の変化と結びついて、無関係感、感情的超然（第三者）感、そしてその人の主動性（イニシアティヴ）と闘おうとする気概とのすべてを消失させるような深い受け身感とが起こる。

（ジュディス・L・ハーマン『心的外傷と回復〈増補版〉』中井久夫訳、みすず書房、一九九九）

ハーマンは、この反応は「耐えられない苦痛に対する防衛であるという見方もあるかもしれない」と述べるが、そう思わせるような様子が、グリーンラインに走り込む前のアイーシャにはある。めちゃくちゃに破壊された町の様子にも、年老いたおばあちゃんと幼い弟たちだけで取り残されている状況にも、どこか無関心な様子。おばあちゃんの具合が悪そうなのに、サマルに誘われて遊びにいってしまう。アパートの外階段にささやかな宝物を並べて作った「秘密の場所」で、聴覚障害があり、手話で話すサマルとアイーシャは時間を忘れて遊ぶ。赤いガラス玉がついた小さい指輪。プラスチックの黄色いバラ。帽子をかぶった小さなテディベア。

（……）サマルとわたし、ふたりの宝物をとりだして、窓の下枠に順序よくならべていった。いつも、ゆっくり時間をかけてならべ、それから遊ぶ。それが、ふたりの小さな儀式なのだ。宝物をならべはじめると、打ちこわされた階段のうすよごれた一角は、ふたりだけの世界になった。建物の上の階の人たちが、わたしたちの横を足早に通って行くのも、少しも気にならなかった。

このアイーシャたちの避難したアパートの様子に、私はどうしても阪神淡路や東日本大震災のことを重ねて想像してしまう。あのとき避難所にいる子どもたちは自分たちの世界をどうやって確保していたのだろう。アイーシャの宝物は、母さんがくれたピンクのチョウチョウのついたヘアピン。おばあちゃんが刺繡したお財布。父さんが外国から母さんに出した手紙が入っていた綺麗な切手が貼ってある封筒。家族の匂いのするものに囲まれて、言葉を話さないサマルと静かに過ごす世界は、アイーシャを微かに癒す繭のように感じられる。この物語にはあまり色がない。ベイルートの白っぽい瓦礫と廃墟のイメージはそのままアイーシャの心象風景のように感じられるのだが、それだけにこのサマルとのひと時に現れる優しい色は、心に残る。サマルはアイーシャに手話を教え、それが集団のアイデンティティが衝突する内戦下でアイーシャを助けることにもなる。

マロン派クリスチャンが、スンナ派ムスリムが、シーア派ムスリムが、ドルーズ教徒が、レバノン人が、パレスチナ人が、その同盟関係、敵対関係を日々、猫の目のように変えながら対峙し殺し合っていたこの時代、銃を突き付けられ、武装勢力に「お前は何者なのか」と問われることは、その答えの如何が自分の運命を致命的に左右する出来事だった。(……)自分の信仰が、質問者が「敵」と見なす者たちのそれであった場合、拘束されたり、殺されるかもしれなかった。

(岡真理『ガザに地下鉄が走る日』みすず書房、二〇一九)

祖母の言いつけで十ヶ月になる弟を抱いてアイーシャが出かけていくのは、グリーンラインに設けられたチェックポイント(検問所)だ。西のイスラム教徒居住区と東のキリスト教徒居住区の関門であると同時に、避難民のための物資が運ばれてくる場所でもある。チェックポイントにいる民兵は敵か味方か。すぐ旗の色と彼らの言葉のアクセントを確認し、自分と同じイスラム教シーア派であることを確かめねばならない。

（……）あのころ、ベイルートは目に見えない線で区切られていた。グリーンラインと呼ばれる境界線で、爆撃された建物の瓦傑がうねうねと続いているだけなのに、まるで塀でもあるように町はきっちり二つに分けられていた。そこには銃をかまえた人たちがたくさんいて、ふつうの市民のすがたもちらほら見えた。両側は、それぞれ別のグループが支配していて、グリーンラインをはさんで戦闘がくりかえし起きていた。

一人の民兵が銃を地面に置いてアイーシャから赤ん坊を抱き取り、優しくあやすが、「次の瞬間にどう変わるかわかったものではない」ことを知っている少女はずっと緊張している。この民兵の、人間らしい温かい顔と、銃の冷たい光の対比が恐ろしい。

アイデンティティを問い、問われる旅

アイーシャの祖母は持病があり、掃除をして働いていた家の医師から薬をもらっていた。そのライラ先生の家はグリーンラインの向こう側。薬はとうに切れていた。

（……）おばあちゃんはしょっちゅう腰が痛いとこぼしていたし、何やかやと薬を飲んでいるのは知っていたが、わたしはたいして心配していなかった。どうして心配してあげなかったのだろう。おばあちゃんは、少なくともわたしがいるところには、いつもいて、母さんが生きていたときも、わたしたちの面倒をみてくれていた。おばあちゃんはずっとそばにいてくれる、と思いこんでいた。

調子が悪いおばあちゃんのことを忘れて午後いっぱいサマルと遊び、帰ってみると、おばあちゃんはもう起き上がれなくなっていた。

「おばあちゃん、死んじゃだめ――だめだからね！　わたし、どうなっちゃうの？　ひとりじゃ生きていけないよ。おばあちゃん、わかってるくせに！」

わたしは、悲しみにくれて当然なのに、むしろおこっていた。そして不安におののいていた。

この状況の中では、祖母の死はすなわち自分と弟たちの死だ。セーフティネットがまったくない戦時下で子どもだけが遺されるという地獄。どんなに親切なザイナブおばさんでも、三人もの他人の子どもを抱えるわけにはいかない。

先日、『異端の鳥』（原題 *The Painted Bird*　ヴァーツラフ・マルホウル監督　チェコ・スロヴァキア・ウクライナ合作）という映画を見た。第二次世界大戦のさなか、弾圧を避けるために東欧のどこかの田舎に一人預けられたアイーシャと同じ年頃のユダヤ人の少年が、預けられた先の老婆が死に、家が火事になって焼け出され見知らぬ土地で孤立する。そこから彼は、ありとあらゆる――そう、ありとあらゆる残酷と悲惨の中に投げ込まれる。悪魔と呼ばれ、こき使われ、殴られ、レイプされ……。圧倒的な暴力が支配する場所に子どもが一人で放り込まれるということがどういうことかを、この映画は徹底的に描いていく。ナチス政権下の東欧らしき場所という設定ではあるが、地域を特定できないようにスラヴィック・エスペラントという人工言語で撮影されたことを見ても、彼が見舞われる暴力の数々は、時代を超えて困難な場所にいる子どもたちの苦しみを象徴しているように思える。人間の理性はさまざまなきっかけで脆く吹き飛び、剝き出しになった欲望は、まず子どもたちを貪る。

わたしは横になっても目を見開いたまま、白くて高い天井を見つめていた。どうしようもないさびしさがこみあげ、まるで真冬の戸外にほっぽり出されたように、体が小きざみにふるえた。そんな中、ふと、ある考えが頭にうかび、それがみるみる確信に変わった。

何をぐずぐずしているの。わたしは自分で自分をはげまし続けた。ライラ先生を見つけなくちゃ。グリーンラインのすぐ向こうなんだから。あの細長い瓦礫の帯をわたれば、向こう側に行ける。いったいだれが、わたしに銃を向けたりするだろう。こっちは、こんなに小さい子どもなんだから。

おばあちゃんが死にそうだというショックで現実から乖離したような状態から引き戻されたアイーシャは、剝き出しになった現実への怒りに震え、不安におののく。その怒りと不安がアイーシャにたった一筋の希望の道筋を思いつかせるのだが、大人ならその希望の脆さに、行く前から諦めてしまうかもしれない。注目したいのは、彼女の希望の糸が「いったいだれが、わたしに銃を向けたりするだろう。こっちは、こんなに小さい子どもなんだから」という信頼に根ざしていることだ。大人なら「世間知らずの甘さ」としか思わない、はなから捨ててしまうようなカードしか持たずにアイーシャは走り出す。そのカードを、グリーンラインという切り立った崖のような場所を走りながら、思いがけない子どもの力で裏返していくのが、この物語の魅力であり、作者レアードの仕掛けた「大人の常識」への挑戦でもあるのだろう。
子どもの物語の原則は、「行って帰る」ということだ。どんな旅でも、窮地に陥ったとしても、主人公は帰ってくる。このアイーシャの旅がどんなに恐ろしくても、回想で語られるということによって「安心」をベースにして子どもは物語の中に入っていける。シンプルな言葉遣いも展開も、子どもにまっすぐ届けるための、やはり大前提だ。たぶんアイーシャと同じ年頃の十歳くらいから読めるように書かれたこの物語は、その子どもの本の原則を活かしながら、レアードはそれとははっきりと書かずにアイーシャの心の傷の深さを、戦争の実情を踏まえた上で、心象として見せてくる。

昨日行ったチェックポイントまでたどりつくと、烈しい驟雨と一日遅れでやっと到着した支援物資のトラックに民兵が気を取られている隙に走り抜け、グリーンラインへ飛び込む。グリーンラインはベイルートの中心部、ベイルート湾からシリアへダマスカス街道上に続く幅一キロほどの荒れ果てた緩衝地帯だ。あちこちでバリケードが築かれ、緊張の激しい場所にはスナイパーが常に待機していたという。

昔、このあたりの道を母さんといっしょに歩いたとは信じられなかった。あのころは、まばゆいばかりに明るい店がならび、歩道には人があふれ、道路にはバンパーとバンパーをくっつけるように車が連なって、ずっと先まで渋滞が続いていた。
それが今は、ひとっ子ひとり見あたらない。店先は吹きとんでなくなり、商品はとっくの昔に略奪されている。古い店がならんでいる一角も、がらんとした真っ黒な穴でしかなくなってしまった。看板が道におおいかぶさるように倒れかかり、よじれ、さびている。中のほうには、細長いネオン灯の残骸が、天井裏からぶらさがっているのが見えた。歩道は瓦礫の山で、あっちもこっちも行き止まり。石造りの建物の前面には、弾丸が撃ち込まれた穴がびっしり空いている。砲弾がぶち抜いた壁の穴は巨大な頭蓋骨の目の穴のように見える。

廃墟はモノクロ映画のような灰色だ。ただでさえ足がすくむNo Man's Landに嵐のような雨が叩きつける。日頃十分な栄養もとれず、一晩中続く戦闘のせいで睡眠も奪われがちな十歳の子どもが、まともな靴も履かずビーチサンダルでこの場所を走ってゆく。不気味にあいた化け物の口の中に入っていかねばならないアイーシャは、心の中で「ママ！　ママ！」と母を呼びながら走る。あっけない突然の死から何ヶ月も経ち、面影も薄れてきた母だが、アイーシャは「母さんがよりそって走ってくれている」と思う。顔は忘れても愛された記憶は消えない。アイーシャの強さは、守られていた、愛されていた子どもの強さなのだ。

彼女はどれぐらいの距離を走らねばならないのだろう。出発点がはっきり書かれていないが、当時シーア派のレバノン人が多く住んでいたのはベイルートの南郊地区、現在の国立博物館からダマスカス街道を南下したあたりだ。ライラ先生の家がある旧市街は港の近くで直線距離にして三キロぐらいだろうか。子どもの足でも歩ける距離ではあるが、アイーシャはグリーンラインを突っ切るのを避け、北から大回りするルートを取ろうとしている。倍とは言わないまでも子どもの足では遠い。

ベイルートの難民キャンプで英国NGOのMAP（Medical Aid for Palestinians）から派遣されたポーリン・カッティングの『パレスチナ難民の生と死――ある女医の医療日誌』（広河隆一訳、岩波書店、一九九一）を読むと、民兵の狙撃や砲弾でありとあらゆる銃創を負った人々、特に子どもが数多く運ばれてくることに愕然とする。民兵たち自身年若く、学齢期の少年もいて些細な刺激で発砲してきた。そんな民兵がいる複数のチェックポイントをアイーシャは越えようとしている。緑と黒の旗が掲げられた同胞のチェックポイントをすり抜けた少女は、「敵の旗」が翻るチェックポイントで捕まって銃口を向けられる。

（……）ビーチサンダルをつっかけただけのむき出しの足先が、建物から落ちたコンクリートのかたまりにつまずき、つんのめった。

（……）

「だれだ、おまえは？」

兵士が詰問してきた。

「だれの差し金で、ここに来た？」

傷を負ったつま先から足にかけて激痛が走り、ありがたいことに、しばらくの間は目をきゅっと閉じて唇をかむことしかできなかった。痛みに救われたのだと思う。口をきくことができなかったおかげで、耳を働かせる余裕ができた。すると、兵士たちがしゃべるのが聞こえてきた。同じアラビア語でも、わたしたちが使うのとはアクセントがちがう。レバノンの北のほうから来た兵士たちだとわかった。わたしは南の人間だ。ここでひと言でもしゃべったら、どこの出身かわかってしまう。こいつは敵だとさとられる。スパイだと思われ、容赦してはくれないだろう。

外見だけではわからないアイデンティティをあぶり出すために、言葉が使われる。キリスト教マロン派の民兵がパレスチナ人を区別するためによく使ったのは「パンドゥーラ（トマト）」という言葉だという（『ガザに地下鉄が走る日』）。しかし、そのアクセントの違いを岡真理氏は何度聞いても判別できなかった。外からはわからぬほど同じ言葉を使い、似た顔をした者たちが、民族というたった一つのアイデンティティを理由にして憎みあう。関東大震災のときも、朝鮮の人々を峻別するために「アイウエオ」や教育勅語が使われ、大震災のパニックの中で人々の間に溜まった怒りや不安が膨らみ、朝鮮人暴動、放火という流言が一気に拡がった。各地の自警団のみならず警察や軍隊までが、何の根拠もないままに、言葉に訛りがある、こいつは朝鮮人に違いないという思い込みだけで多くの人を殺していった。人間がひとつの帰属、集団のアイデンティティをめぐって憎しみを募らせる姿には、皮肉にも民族を越えた共通性がある。

言葉を不用意に発すれば死につながる。アイーシャは素早く頭をめぐらせる。心の中から母の声が聞こえてくる。

聞こえないふりをするのよ。サマルみたいに。サマルのようにふるまいなさい。
そうか。わたしは、手をしきりに動かして、サマルが教えてくれた手話の仕草をした。

言葉によるアイデンティファイの危機を、亡くなった母の導きとサマルがくれた友情が乗り越えさせてくれた。ところがアイーシャを今度は違う危険が襲う。「おいおい、そうは問屋がおろさないぜ、かわいいおじょうちゃん」「おまえさんがスパイじゃないと、どうしてわかる？　服の下に手紙をかくしてないともかぎらんだろうが？」兵士たちの顔に欲望が走る。ここで十歳の少女が直面しているのはレイプの恐怖だ。戦争の影には性暴力が常にある。研究が進むにつれて、それが戦時下の偶発的な逸脱行為というだけではなく、意図的・組織的・軍事的に系統立って行われたことが明らかになってきた。敵側の女性をレイプすることは「『この身体は俺たちのものだ』と宣言することによって、別の集団の男たちに、その女性は領土としてすでに他の男たちに所有され占領されたのだという事実を思い知らせる」（A・クラインマン／J・クラインマン／V・ダス／P・ファーマー／M・ロック／E・V・ダニエル／T・アサド『他者の苦しみへの責任――ソーシャル・サファイリングを知る』坂川雅子訳、みすず書房、二〇一一）ことなのだ。

耳の聞こえないふりを続けるアイーシャを「ライオンがうようよいる艦に入ってきた一ぴきの老犬のよう」なひとりの老人が救う。

「おまえら、野獣か？」

老人が再び口を開いた。

「子どもをいじめよって。放してやれ」

その話しぶりから、人の上に立つ人だとわかった。

（……）

「じょうちゃんよ」

老人がきびしい声で言った。

「どこから来た？　ここで何していたのかね？　答えてごらん、本当のことを」

サマルのようにしなくてはと、と思いだした。うなり声も、サマルに教えてもらった手話も、サマルそっくりにまねた。

「この子、耳がまったく聞こえておらんわい」

アブー・ブートロスはこう言いながら、わたしの肩をやさしくたたいた。

この物語の特徴のひとつは、アイーシャが直面している危機的な状況が、ごく淡々と描かれていることだ。この場面も、彼女の恐怖や豹変する兵士の姿がもっと強調されてもいいとさえ思えるのだが、ここで一番印象に残るのはアイーシャを解放する老人、アブー・ブートロスの威厳や人間性だ。戦場という殺人という最大のタブーが許される場所では、簡単なきっかけで人間の倫理観の底が抜けてしまう。中東のあちこちで、子どもたちは空爆、地雷、襲撃、ブルドーザーと、ありとあらゆる手段で殺されている。その悲惨に塗りつぶされた世界を知りながらこの物語を読むと、アイーシャはなんと細い針の上を走っているのかと慄然とする。

レアードは大学卒業後、エチオピアで英語教師の職に就く。その後インドに行った際に出会った夫がUNRWA（パレスチナ難民救済事業機関）にいた関係でベイルートに滞在した。この物語はそのときの経験を元にして書いたものだ。彼女はその後もヨルダンの難民キャンプや、パレスチナ、パキスタン、アフリカを訪れ、子どもたちと出会った。二〇〇三年の『ぼくたちの砦』という作品では、イスラエル占領下のパレスチナで暮らす少年の日々を、二〇一七年に出た『はるかな旅の向こうに』では内戦下のシリアを脱出し、ヨルダンの難民キャンプで暮らす家族を描いている。中東の子どもたちと直接触れあってきたレアードが、ベイルート滞在から三十年後にこの物語を書いた。三十年経たねば書けなかったのかもしれないと思う。「レバノン人自身が、自分の身の回りで起こっていることが一体何であるのか、もはやよくわからなくなってしまった」（石川純一『硝煙都市ベイルート――神と国家市民と銃』同文舘出版、一九八八）ほど複雑怪奇に入り組んだ内戦が子どもたちに与えた苦しみを、当時初めての子どもを産んだばかりだったレアードは敏感すぎるほど感じていただろう。

紙一重で救われたアイーシャの影に、数え切れないほどの死んでいった、レイプされた子どもたちがいる。その事実の重みと、それでも読み手の心に一筋の希望という火を灯したいという願いとの葛藤を、私はこの作品から感じる。暴力を史実を踏まえて描きながらも、戦いの中にいてなお人間性を失わずにいる老人の姿に比重が割かれているのはその葛藤ゆえなのではないか。そして私がこの作品に惹かれるのは、レアードのこの葛藤が次世代の子どもたちへの深い思いから生まれているのだと感じるからなのかもしれない。

アブー・ブートロスがアイーシャを本当に耳の聞こえない子どもだと思ったのか、それともアイーシャの必死の演技を見抜いた上で騙されたふりをしてくれたのか、レアードの文章から読み取ることはできない。ただ、アイーシャの肩におかれた優しい手は、後者の可能性を示唆しているように私には思える。

憎しみという怪物を抱えて

人影の消えた旧市街の建物の屋上に潜む狙撃手。グリーンラインに沿った瓦礫だらけの地域を通り抜けると、ほんの数メートルで、賑やかに日常が営まれている場所に出る。混沌と破壊が目立つイスラム教徒地区の西ベイルートと違い、キリスト教徒が多く住む東ベイルートは、戦いの被害を受けながらもまだ整然とした町並みがあり、ふつうの人間の暮らしがある。高価な車や着飾った人々、美しい別荘もあったという。内戦下ベイルートの、グリーンラインを挟んだ格差。一つの国が二分されるという経験がどのようなものか知らない私にはこれが衝撃だった。しかし、街の様子は変わってしまっていて、以前来たときには手を引いてくれた母もいず、アイーシャは心細さとみじめさに襲われ、階段にしゃがみこみ泣き出してしまう。そこにひとりの少年がやってきて、泣きじゃくる少女にオレンジを一つ差し出す。「父ちゃんが、持っていってやれって」

すかさず少年の話し言葉と様子をチェックし、アイーシャは彼がベイルートの人間ではなく地方からきた人のようだと判断する。大人たちに尋ねまわってライラ先生の病院まで案内してくれるという少年に、アイーシャの口が思わずゆるんでしまう。「あそこの曲がり角でいつも花を売っていたおじいさん、どうしちゃったのかしら?」すると、少年の口からドキリとさせる言葉がこぼれ出る。

「あいつも敵さ。南部出身だもん。にくいやつ。戦争になったのは、あいつのせいなんだから」

目の前にいる少女も実は「敵」であることを知ったら少年はどうするのだろう。「敵」である少年のくれたオレンジの甘さがアイーシャに、最後におばあちゃんがオレンジを持ち帰ってきたときの得意顔と、それを縁が欠けた一枚のほうろうの皿から弟たちとともに食べたときのことを思い出させる。家族の温かさと命の糧の記憶。

レバノンに大量に流入してきていたパレスチナの農民たちは先祖伝来の段々畑を耕し、オリーブとオレンジを作ってきた。パレスチナの作家、ガッサーン・カナファーニーの短編『悲しいオレンジの実る土地』は、イスラエルの軍隊に追われ難民として故郷を去らねばならぬ人々の物語だ。

（……）そこからはまたこのオレンジの地を離れ、曲りくねった道を蛇行しながらレバノンに向かうおびただしい車の列が、はるか遠くまで連なっているのが見えた。（……）君の母さんは、いつまでも無言のままオレンジの実を見つめていた。きみの父さんの眼の中では、ユダヤ人に残してきたオレンジのありったけが、光を放っているように見えた。きみの父さんが、一本一本と買い増やしていったオレンジの木の清らかな大粒のありったけが。

（『現代アラブ小説全集7　太陽の男たち／ハイファに戻って』黒田寿郎／奴田原睦明訳、河出書房新社、一九七八所収）

パレスチナの人々にとって失われた故郷と自由の象徴のようなオレンジの実が、少年の手からアイーシャに渡されることには、やはり特別な意味がこめられているだろう。少年が目の前の女の子に親切にするのは、人間として思わず溢れる善意、思いやりであり、このオレンジは、ありとあらゆる憎しみを越えて、敵と味方という線引きを空しくする小さな希望を孕んでいるように思える。だからこそ少年が無邪気に使う「敵」という言葉が顔に投げつけられた小石のように痛い。子どものときは、敵と味方というものは簡単に見分けがつくものだと思っていた。しかし、ここまでアイーシャとともに走ってきた子どもたちは、「敵」という言葉の持つ危うさに気づかずにはいられないだろう。わかりやすい「敵」を作ってこの世界を二分化してしまいがちなのは、子どもだけではない。自分が確かな正義の方に属していると思いたい欲望は、私たちの心に、ありとあらゆる場所に、深く根を張り巡らせている。それでいいの?という問いかけを、レアードはこの物語の中にこめた。アイーシャの小さな旅の目的地にいる人は、「敵」という言葉の呪いを解いてしまうような人なのだから。

医師の家にたどりついた少女の肩を抱いて、落ち着いた物腰のライラ先生は、優しくアイーシャの話を聞き、おばあちゃんに一年分の薬を用意して、こう言う。

「(……)何より、わたしはおばあちゃんが大好きなの。おばあちゃんのことを思い出すといつも、楽しかったころを思い出すわ。おばあちゃんが向こう側の出身で、わたしがこちら側の出身でも、なんのわだかまりもなかった。昔は、向こうもこっちもない、いい時代だったのにね」

内戦前、アイーシャは母に連れられて、おばあちゃんが働くライラ先生の家を毎週訪ねていた。その母が死んでまだ一年も経たない間に、大きく人々の暮らしも心も変わってしまった。しかし、先生はおばあちゃんを、アイーシャを、「敵」ではなく一人の人間として見ている。なぜライラ先生だけがこの眼差しを失わずにいられるのだろう。彼女はおばあちゃんのために無償で薬を用意し、アイーシャを無事に西側へ送り届けるために大きな切り札を使う。

ここまでアイーシャが無傷で来ることができたのは奇跡のようなものだ。ベイルートの百戦錬磨のタクシー運転手たちも、グリーンラインを越えるのは極端にいやがったという。自分と違う宗派の地区にいくのは命の危険が伴ったからだ。

「アブー・バシール、ぜひお願いしたいの――ええ、救急車がいるわ――だめだめ、国連の救急車でないと――（……）あなたにお願いするしかなくて」

電話の向こうで男の人が長々と話すのが聞こえた。言いわけをしている。男の人がようやく話し終えた。ライラ先生がせきばらいをした。つらそうな顔をしている。

「ところでアブー・バシール、お宅のおじょうちゃんの様子はどう？　わたしの治療はうまくいったかしら？――それはよかった。何よりだわ」

レアードの夫が在籍していたUNRWAはパレスチナ難民を救済する目的で作られた機関で、そのほとんどは現地のスタッフだ。アブー・バシールも、そして国連の通行許可証を持っているライラ先生もUNRWAに関わりがある設定であるようだ。しかし、彼女の行動は国連という枠をも超え出たところから出てきたものではないか。

ベイルートではUNRWAや外国のNGOから派遣された医師たちが、一つでも多くの命を救おうと活動していた。前述したポーリン・カッティングが働いていたのは難民キャンプだが、砲弾が撃ち込まれ、医療品や時には電気や水道、食糧さえも欠乏していく中での治療行為は自らの命も賭けた壮絶なものだ。レアードは夫も関わるその活動を見聞きしていたことだろう。また、後に彼女自身も難民キャンプでセミナーに参加し、積極的にシリア難民の支援に関わっている。そこで働く数多くの医師たちと会う機会もあったに違いない。国境を越えて活動する著名な医師たちは多い。ハイチでNGOを立ち上げたポール・ファーマーやアフガニスタンで用水路建設にあたっていた中村哲などの活動を見ると、彼らに一貫して流れる医師としてのヒューマニティを感じざるを得ない。民族や宗教というたった一つの属性で線を引く憎しみの呪縛から解放されているライラ先生は、レアードがさまざまな機会に触れた医師たちの面影を強く反映する人なのではないか。敵側のおばあちゃんもアイーシャも、運転手の娘も、医師にとっては救うべき一つの命。その倫理観がライラ先生を貫いている。

しかし一方でライラ先生のおばは、偽装用の救急車を待つ間に食事をするアイーシャに言う。「早くお食べ、シーア派のおちび。とっとと帰って、残忍な親類縁者に教えてやるんだね。こっちでは、あんたのようなできそこないにも親切だったってね」。「残忍な」という言葉から察するに、身内や親しい人の誰かを内戦で亡くし、その痛みが、目の前にいるイスラム教徒の属性を持つアイーシャへの憎しみとなって吹き出すのを抑えられないのだ。だとすれば、この女性を「おばさん」と呼ぶライラ先生も同じ痛みを抱えているはずだ。その痛みと目の前の女の子を結びつけない力がライラ先生の中には働いている。


「さあ、出発よ、ハビブティー（ちびちゃん）」

先生はわたしを、小さい子どものように軽々とだきあげ、キスをしてくれた。

「こんなに勇敢な子、見たことないわ。えらいわ、本当よ」

わたしが救急車のほうにかけだしたとき、うしろから何か声をかけてくれたのがわかったが、先生はそのまま家の中に入ってしまった。

「わかったかい?」

アブー・バシールが言った。

「聞こえなかった」

「先生はね、大人になっても、人をにくんじゃだめよ、っておっしゃったんだ。覚えておくんだよ」

ライラ先生の一言に含まれるものはとても重い。肉親や愛する人を殺し、殺されるうちに膨れあがる憎しみの連鎖が、この国を覆っているのだから。レバノン生まれの作家・ジャーナリストであるアミン・アマルーフは内戦下での経験を次のように記している。

避難所となった地下室の外では爆発音が轟き、部屋のなかでは、もうすぐ攻撃があるらしいという噂や、喉をかき切られて殺された家族たちの話がきりなくささやかれていました。そこで、おなかの大きな若い妻とまだ幼い息子と一緒に一晩だったか二晩だったか過ごさなければなりませんでした。そのような経験をすると、どんな人間でも恐怖のあまり犯罪を犯しうるということが骨身に染みてわかります。もしもあの噂が嘘ではなくて、私の地区で本当に殺戮が起こっていたとしたら、私はあんなふうにずっと冷静でいられただろうか？　もしもあの避難所で二日ではなく、ひと月も過ごしていたら、私は手渡されたかもしれない武器を握ることを拒絶していただろうか？

（アミン・アマルーフ『アイデンティティが人を殺す』小野正嗣訳、ちくま学芸文庫、二〇一九）

アマルーフは言う。内戦や民族間の虐殺が行われるとき、その原因を「殺人的な狂気」だとか「先祖代々受け継がれてきた血塗られた狂気」だとか言う。しかしそれは特殊なものではなく、自分が属する宗教や民族などのコミュニティが「脅威にさらされていると感じると殺戮者に変わってしまう」人間の持つ傾向のことなのだと。人間は自分の中に必ずそのような怪物がいる。肝心なのは、この怪物が出てくる条件が出揃うのを阻止することなのだ。ライラ先生はアイーシャに辛くあたるおばさんをたしなめたりしなかった。それはおそらく自分の中にも、同じような憎しみがあることを自覚しているからなのだろう。憎しみを抱え、それでも人は人を救うことができる。ある一つの帰属だけに縛られない自分を育てることができる。そういう大人になれと、ライラ先生はアイーシャに言いたかったのではないか。

グリーンラインの「向こう側」で

アイーシャを道案内してくれた少年がいた賑やかな場所は、アブー・バシールの運転する救急車で再び通過するまでのたった二時間のあいだに恐ろしい沈黙に支配されていた。どの店も店先に品物を残したまま、人の姿は消えている。戦闘が始まるのを察知してあわてて人々が逃げたのだ。

しかも、みんなが逃げたのは、つい今しがただとわかった。あわてて逃げたのだろう。果物の台がひっくりかえっていた。さっき、ライラ先生の家を教えてくれた少年のお父さんの店だ。その台から落ちたオレンジが、まだ道を転がっていた。真っ黒なアスファルトの上に金色の筋を描きながら、つぎつぎに転がっていく。

このオレンジは、殺戮の中であまりに無防備な人間の命、踏みにじられる温かい心の象徴そのものに感じられる。さっきの少年の命も、偽装救急車に乗っているアイーシャの命も、ここではオレンジのように簡単につぶされてしまう。

銃声と迫撃砲が谺する中、救急車が東のチェックポイントにさしかかると、アブー・バシールはアイーシャの頭に包帯を巻いて横たえ、怪我をした子どもを医師に頼まれて「向こう」の専門医のところへ運ぶところだと偽装するが、知り合いらしき東の民兵と親しげに言葉を交わす彼にアイーシャは混乱する。「悪党ども」と友だちのアブー・バシールが「いい人なのか、悪い人なのか、さっぱりわからなくなった」のだ。

自分が単純に信じていたアイデンティティの線引きが絶対でないことを少女はまだ知らない。自分がよく知っている馴染みのチェックポイントが見えてきたアイーシャは喜び、そこにいるのは「とっても親切な兵隊さん」であることをアブー・バシールに力説する。しかし、シーア派の民兵が警備する西のチェックポイントを、アブー・バシールが超えることはない。アイーシャには親切かもしれない民兵は「あちら側」のアブー・バシールを見逃さないだろう。ここからはひとりで行くのだ。

もう少しでチェックポイント、というところで見張りの兵士たちに見つかった。兵士たちは大声で言葉をかわしながら、銃をまわして、わたしにねらいを定めてきた。そのあわてぶりが、敵のチェックポイントの兵士たちとそっくりだったので、びっくりした。わたしをにらみつける目つきまで同じだ。

この日、アイーシャは敵側にいて自分を助けてくれる人々に会い、彼らのさまざまな顔を見た。しかし兵士が「敵」に銃を向ける顔にはどんな違いもない。

グリーンラインの向こう側で、少年の父の店先からオレンジが、真っ黒なアスファルトの上に金色の筋を描きながら、次々に転がっていく。少年とアイーシャを繋いだ優しい金色の実が、失われていく子どもの命と生々しく重なって私の心に焼きつき、離れない。この内戦で十五万人を越える人々が死に、その四分の一が子どもだった。いったん内戦が終わったレバノンで、二〇〇六年に再び紛争が起こり、千人以上の市民が犠牲になった。隣国のシリアは二〇一一年から内戦が起こり、何百万人もの人々が難民として世界中に離散することになった。

中東の歴史を調べれば調べるほど、長年にわたる憎しみが人々をがんじがらめにしていることに暗然とする。絡み合う糸は旧約聖書の時代からほどく糸口も見えないほど複雑に結ぼれて、グローバル化した世界で、糸の一端は中東から遠く離れた国々の人の掌に握られている。オレンジは次々と転がり落ちているのだ。

今、レバノンは内戦も終わり復興への道を歩んでいる。しかし国内にはいまだ難民キャンプがあり、アイーシャのような子どもたちや若者が満足な教育だけではなく、水や食糧さえも不足する苦しみにあえいでいる。二〇二〇年八月にはベイルートの港で大量の硝酸アンモニウムが爆発する事故が起こり、三十万人の人々が家を失った。コロナ禍に大爆発。シリアから流れ込む難民たち。再びベイルートは混乱のさなかにある。

この本を初めて読んだとき、「内戦」は私の実感からはまだ遠かった。しかし、読み返すたびに、アイーシャの感じた恐怖や戸惑いはより強い実感をもって心に迫ってくる。

ベイルートを東西に分けたグリーンラインは、世界中の憎悪がせめぎ合う象徴のような道だった。そこを信頼だけを抱いて走り抜けていった少女の思いが、憎しみを越える知性に迎えられ、希望に変わる。複雑になりすぎた事情を打破していくのは、もしかしたらこのような子どもの心が持つ力なのかもしれない。その子どもの心は、憎しみの怪物と同じく、大人の心の中にもきっと息づいているはずなのだから。

核戦争を止めた火喰い男と少年の物語

——愛と怒りの炎を受け継いで

デイヴィッド・アーモンド『火を喰う者たち』

一九六二年　イギリス、ニューキャッスル近郊の村　ボビー　十二歳色あせた刺青に狂気を帯びた目。小さな傷だらけの男が、見物人の鼻先に「金を払え！　見たけりゃ金を払え！」とわめきたてる。肌からは灯油と汗と煙の匂い。鎖ぬけや串刺しの芸を見せて小金を稼ぐ男が、この世界を核の破滅から救った――と言うと、そんな馬鹿なと思われることだろう。しかし、この物語を読み終わった人の目には、これまでとは違うものが見えるはずだ。この世界の最も顧みられぬ場所に、最も聖なるものが秘められている。デイヴィッド・アーモンドの物語には、細部にまでこの奇跡が朝露のように煌めきながら宿っている。

火喰い男と戦争の傷跡

私の幼い頃には、まだ見世物小屋というものがあった。ずらりと屋台が並ぶ神社の縁日、お宮の奥のひっそりしたところに、おどろおどろしい原色の看板がかかり、独特の口上が流れている。入りたい、でも少ないお小遣いをそこだけで使い果たしてしまうのも勇気のいることだったが、何よりも臆病者の私は入口から覗く中の暗さにおののいた。確かにそこは傷口のようにぱっくり開いた異世界への入口であった。物語『火を喰う者たち』（金原瑞人訳、河出書房新社、二〇〇五）も、主人公のボビーが母と出かけたニューキャッスルの町で一人の大道芸の男に出会うところから始まる。

（……）男だ。人だかりの真ん中に男がいる。ぼくは男の目を見つめた。男がぼくの目を見つめかえした。心臓がぴたりと止まり、世界がぴたりと止まったかに思えた。すべてはそこから始まった。一九六二年の夏の終わり、あの日曜日、あの瞬間に。

上から下まで赤ずくめの服装をした、まるで娘のような母は、ボビーに「硬貨を探して、あの人にあげて」と言う。苦痛に顔をゆがめながら巨大な車輪を持ち上げてみせる彼を、見物人たちは蔑み、驚き、笑う。その中で彼はボビーに「手伝ってくれ」と声をかける。箱から長い銀の串を取り出させ、見物人たちに硬貨を入れる袋を差し出せという。

（……）マクナルティーはぼくの頬をなで、ぼくを引きよせて話しかけた。まるで見物人などだれひとりいないかのように、まるで秋の陽射しが降り注ぐその日に、川のほとりのその場所で、ぼくたちふたりだけで立ちつくしているかのように。

「おれを助けてくれよ」マクナルティーはいった。

十一歳の少年と、彼の人生に突然現れた異形の者。まったく関係のなさそうなこの二人の間に生まれる微かな糸が立ちあがってくるみごとな導入だ。大道芸人のマクナルティーはうつろな眼差しでまわりを見つめながら銀の串で左右の頬を貫いてみせる。「見物人の多くは、あまりの恐ろしさとおぞましさにあとずさった」。ボビーは「体が震えて、息ができない」まま、母のところに戻ろうとするが、マクナルティーに呼び戻されて「分け前」の銀貨を渡される。このとき、マクナルティーの唇から血が一滴したたり落ち、二人の繋いだ手の上をつぅーっと滑る。この出会いが運命的なものであることが、二人の間に流れる血によって予言される瞬間だ。命の赤、死を暗示する血の赤、そして燃え上がる炎の赤。ボビーの母が着ている赤い服もこの暗示に呼応しているのだろう。

少年が異界からやってきたものに触れ、闇の世界と現実を往還することで新しい生命力を手に入れる。デイヴィッド・アーモンドの物語には、そんな魔法が作品に頻繁に現れる。一番有名なものは『肩胛骨は翼のなごり』（山田順子訳、東京創元社、二〇〇〇／二〇〇九）だろう。引っ越してきた家の裏庭にある、古ぼけて崩れ落ちそうなガレージ。少年マイケルは、そこに埃にまみれた黒スーツを着た男が横たわっているのを見る。無数のアオバエや蜘蛛の死骸を身にまつわらせ、干からびかけた死神のような彼の肩胛骨には、羽毛に包まれた美しい翼がある。スケリグと名乗る不可思議な男の正体は最後まで明かされないが、スケリグとマイケル、隣家の少女ミナが夜ごとに繰り広げるピュアな魂の交歓は、マイケルの家族に、あるかけがえのない奇跡をもたらす。この小説はカーネギー賞とウィットブレッド賞（現・コスタ賞）を受賞している。

アーモンドの物語の中で現実と幻想は入り交じることが多いが、『火を喰う者たち』でマクナルティーという異形のものが背負うのは、幻想やファンタジーではなく、戦争だ。

驚いたことに、ボビーの父は彼を知っているという。マクナルティーと父はともにビルマで戦った帰還兵だったのだ。「マクナルティーもまた、あまりに多くを見て、いやになるほど苦しんだ兵士のひとりだった」と、同じ船でイギリスに戻ってきた父は言う。完全に正気を失って、大声で歌を歌い、悪態をつき、ロープや剣や火を使っていろんな曲芸をやってみせるマクナルティーは、船内で他の帰還兵たちから笑いものにされ、蔑まれ、さらに虐待を受けていたという。

ビルマはイギリスの植民地だったが、一九四二年一月に日本軍が侵攻、同五月にはビルマ全土を掌握した。日本軍はビルマを足がかりにインドに侵攻しようとし、悪名高いインパール作戦を決行する。この作戦は標高千メートルを超える山脈と、雨期には濁流と化すジャングルを越えていく無謀な作戦であり、しかも食糧や弾薬の補給を一切考えずに行われた、まさに死の行軍であった。戦いは日本軍の何倍もの兵力と軍事物資を用意しえたイギリス軍が勝利を収めた。日本兵の死体が累々と横たわり、あっという間に腐敗していくインパールは白骨街道とも言われた生き地獄であったという（『ドキュメント太平洋戦争4　責任なき戦場ビルマ・インパール』NHK取材班編、角川書店、一九九三）。

一週間後、父はボビーを連れてマクナルティーの元を訪れる。「同じ戦争を戦ったじゃないか、マクナルティー。ビルマに向かったとき、おれたちはまだほんの子どもだった。そして戻ったときには……」と話しかける父に、マクナルティーは「何も覚えていない」と答えるが、その言葉には苦しみつづける日々の痛みが満ちている。

「（……）あの頃は焼けつくような炎の日々で、今は凍てつくような氷の日々だ。あの頃のおれは子どもで、今は老いぼれだ（……）」

イラクとアフガニスタンの両戦争合わせて派遣された二百万人の兵士のうち二〇―三〇パーセント

の人々がPTSD（心的外傷後ストレス障害）、もしくはTBI（外傷性脳損傷）で、気鬱、不安、悪夢、記憶障害、人格変化、希死念慮に苦しんでいる。外傷性記憶は「ことばを持たない凍りついた記憶」（ジュディス・L・ハーマン『心的外傷と回復』中井久夫訳、みすず書房、一九九二／一九九九）であり、生々しい感覚とイメージが何度も何度も再体験されるというが、ハーマンによると、他者とのつながりを失ってしまって孤立し、社会的支援も受けずにいる人はPTSD発症のリスクが高いという。

「きこえるか？　おれの頭の奥で何かが叫び、あばれまわる音が」

マクナルティーは、家族を持たず、戦友と語り合うこともなく、戦後の長い時間を体の中で何度も繰り返される戦争とともに生きてきた。彼が取り憑かれたように自分の体を痛めつけるのは、生計のためもあるだろうが、彼自身がそのまま凍りついた記憶と化しているからでもあるだろう。

一九六二――核戦争の恐怖

灯台の光が巡ってきた。薄れゆく夕日の中で、光はいっそう明るく感じられる。ぼくたちはその場に立ち、海辺の空気を胸いっぱいに吸いこんだ。のんびり屋のアジサシが一羽、何度も海にもぐっては餌をとっている。さらに遠くの波打ち際に目をやると、石炭夫たちとポニーが、石炭をいっぱいに積んだ荷車を海から引きあげるのが見えた。女の子の笑い声がきこえる。ぼくは薄闇に目を凝らした。風は凪ぎ、波は穏やかだ。海はまるで磨き抜かれた鏡のように、暗くまっすぐな水平線に向かってどこまでも広がっている。灯台の光が筋になり、海から陸へ、そして再び海へと、滑るように通り過ぎていく。

胸にしみこむような美しく静かな風景だ。ボビーは試験を突破して、カトリックの私立中学への入学を控えている。階級上昇のチャンスとなる大事な進学だ。整備工の父、母は誇らしくて仕方がない。少し乱暴だが兄さんのような友だち、ジョゼフ。そして同級生の仲良しの女の子、炭坑夫一家の娘エイルサ。ボビーをとりまく世界は今、穏やかに凪いでいる。しかし、この世界にひたひたと破滅を予感させる足音が近づいている。

一九六二年十月、キューバにソ連のミサイル基地が建設されていることが判明し、そこから始まる米軍の海上封鎖と、両国の緊張した駆け引きは、世界中を震え上がらせた。この時代、米ソは競って核開発に血道をあげ、一九五二年にアメリカはマーシャル諸島で水爆の核実験を行っていた。

（……）東の空を見やった。もしも爆撃機がやってくるとしたら、東からやってくるのだろうか？ぼくは想像してみた。巨大な十字の影、テールライトもつけず、独特のエンジン音を響かせる爆撃機を。

ボビーは夜の海辺を歩きながら、飛来した巨大な爆撃機によって世界が焼き尽くされ、「毒におかされてよどんだ海と、毒の粒子だけが漂う空」をリアルに想像する。このボビーの爆撃機に対する不安は、ロバート・ウェストールの『〝機関銃要塞〟の少年たち』の爆撃シーンを思い起させる。『火を喰う者たち』と『〝機関銃要塞〟の少年たち』の舞台は驚くほど近く、『〝機関銃要塞〟の少年たち』にはボビーがマクナルティーと出会うニューキャッスルが炎上するシーンもある。ウェストールが描きつづけた故郷、タインサイドとニューキャッスルは隣町といってもいいほどすぐ近くだ。『ヘヴンアイズ』『星を数えて』『クレイ』と、やはり自分の故郷を舞台に物語を描きつづけているアーモンドは、ウェストールと同じ労働者階級の出身で、『火を喰う者たち』にもウェストールの作品と通いあうモチーフがあちこちに見つかる。暴力と狂気は両者の作品にたびたび重要なテーマとして現れ、少年たちを翻弄する。

若くして出征し、ボビーの父と同じ船で戦争から帰ったマクナルティー。過去の戦争をそのまま引きずって現れた彼は、ある意味ではボビーの父の半身であるのかもしれない。父には出征前から結婚を約束する恋人がいた。マクナルティーの言葉を借りるなら「赤ずくめの天使」、ボビーの母だ。傷ついて帰った父を待っている「赤ずくめの天使」がいなかったとしたら。帰る故郷を持っていなかったとしたら、父もマクナルティーのように心が壊れたままになってしまっていたかもしれない。

（……）眠りに落ちた後、ぼくは夢を見た。マクナルティーがほふく前進で砂丘を抜け、ぼくの家にやってきて、二階に上がり、父さんのベッドにもぐりこむ夢だ。父さんとマクナルティーは小声でビルマでの思い出について語りあった。やがてベッドはボートになり、ふたりはしっかり抱きあって、荒れ狂う嵐の海の中で木の葉のように波にもまれ、揺れながら、次の戦争に向かって運ばれていった。

父とマクナルティーの幾重にも重なる戦争の記憶は、この物語の中で通奏低音を響かせる。その音と重なるようにおおいかぶさる核の恐怖。ボビーのおだやかな家庭にも父の病という不安がある。ずっと体調が思わしくない父はしばしば寝込むようになり、病院で検査を受けることになる。そして、ボビーが新しい希望を抱いて入学した学校にも、抵抗しがたい暴力が現れる。

日常の中の暴力

「さて」トッド先生がいった。「きみたちはこの中学校に入学できた生徒、つまりエリートだ」先生の表情が険しくなった。「なんてことを信じるのは大間違いだ。（……）きみたちは、まだ人間としての教養は半分ほどしか身につけていない、つまり動物と同じだ。だからこの学校のやり方を学ぶように」

トッドは少しあたりを見回しただけのボビーの手を鞭で打ちすえる。担任のラボックも同じく体罰肯定派だ。たいした理由がなくても、あざができるほど鞭で生徒に体罰を加える。核戦争だけではなく、ボビーの世界のあちこちに暴力と不安が入り込んでくる様を、アーモンドはみごとな構成で私たちに見せつける。

どんなささやかな場所にも暴力は姿かたちを変えて潜んでいる。この学校には、エイルサも合格していたが、彼女は登校していない。ボビーがエイルサに学校に行かないのかと尋ねると、横から兄が「女が勉強してなんになるんだよ？」と言うシーンがある。女はいい男をみつけて結婚するのが一番だと言うのだ。エイルサは早世した母のかわりに、家事一切を担っている。役所はエイルサの入学を促すが、父も兄も、そしてエイルサ自身も頑としていうことを聞こうとしない。この家の人たちは皆親切で、ボビーの両親とも長いつきあいだが、その人たちの中にも男とは、女とはこうあるべきという偏見、女性蔑視といった一種の暴力が根付いている。

この物語には都会からきた洗練された一家も登場する。では、その一家は暴力とは無縁なのかといえば、そうではない。ボビーと一緒に入学したダニエルの両親は大学教員だ。父親はカメラを手に、このあたりの家や風景をカメラにおさめ、いずれ写真集を作るという。漁師の家をリノベーションしたおしゃれな家に住み、家にはたくさんの本やレコードがある。ダニエルは正義感が強く、胸にCND（核兵器廃絶運動）のバッジをつけているほど社会問題にも関心がある。そのダニエルの父が撮ったという写真を、ボビーは見せられる。ボビーと両親の住む浜辺の粗末な家。エイルサ一家が海から石炭を拾って年老いたポニーの牽く荷車に積みあげている様子。

「すごいだろ？」ダニエルがいった。「父さんは、昔話に出てくる悪魔か何かみたいだって」

「どういう意味？」

「昔話から抜け出してきたみたいってこと。半分人間で半分悪魔。父さんがいうには、こんなのが見られるのはキーリーベイだけだって」

「ぼくたちがみんなそんなふうだって思ってるのかい？」

ダニエルは肩をすくめて、うつむいた。だが、ダニエルの目に浮かんだあざけりをぼくは見逃さなかった。

美術史家であるダニエルの父は、さびれた村の様子や貧しさを魅力的な被写体だと思ってカメラを向けたのだろうが、その眼差しの裏に、マクナルティーの奇妙さを面白がり、見下す人々と同じ侮蔑がある。両親ともに教育者のダニエルの家庭は典型的なミドルクラスだ。階級がはっきり分かれている英国では、石炭を拾う労働者階級のエイルサの一家とは、まったくと言っていいほど接点も交流もない。ダニエルが父の階級的な眼差しをそのまま取り込んでいるのも無理はない。どんな場所にも差別や暴力は網目のように張り巡らされ、私たちの生から切り離せなくなっている。この物語を読んでいると、時代も国も違うにもかかわらず、今の日本と深く重なっていくように思うのは、アーモンドが浮かび上がらせる構造的な暴力のあり方が通底しているからなのだろう。

真に暴力から自由になるには、人間をやめるしかないのか。この苦しみにどう抗うのか。『〝機関銃要塞〟の少年たち』のチャスたちは、黒光りする機関銃を手にして、その力をとりこみ、要塞を作りながら戦争の時代を生き抜こうとした。冷戦の時代に生きるボビーは、この構造的な暴力に何を以て抗おうとするのだろう。

祈りは世界を救うか

先に学校に反旗を翻したのはダニエルだ。彼はボビーを怒らせた写真の力を使って、学校側の暴力を告発しようとする。鞭を振り下ろすトッドのあざけりが浮かんだ顔と、むち打たれる生徒の恐怖にゆがんだ顔が写った写真が、悪魔、邪悪、冷酷、罪といった言葉とともに、学校中のあちこちにあらわれた。

ボビーも彼に協力して写真をばらまくのを手伝うが、その動機は怒りというよりは「もし父さんがよくなるなら」「……邪悪なものと闘います」という祈りだ。ボビーの部屋の机の上には、病を治す奇跡の泉があるという聖地ルルドで母が買ってきたスタンドがある。父の病が暴れる夜、世界が崩れ落ちる予感が押し寄せる夜、ボビーは繰り返しその灯りの下で祈りを捧げる。戦争という男らしさと密接に結びついたものとの対比として、この物語では女性が常に命を守る存在として描かれ、ボビーはどちらかというとエイルサや母と親和性が高い。エイルサはいったん死んだ子ジカを拾い、一晩中祈りを捧げて生き返らせた、とボビーにその子ジカを見せる。この子ジカの持つ儚さと美しさは、何億もの偶然が重なって生まれた命と、その命を育む日常性の象徴でもあるだろう。ボビーは戦争と父の病の不安を打ち払うかのように祈りを深める。病に苦しむ父のうめき声を聞く夜は、「ぼくに痛みをお与えください」「痛みはぼくが引き受けます」という祈りとともに自分の指を針で刺す。痛みが呼び起こす連想はマクナルティーと重なり、殉教していく聖人たちと重なり、キリストのイメージにも重なっていく。

アーモンドはカトリック教徒の家に生まれ、少年の頃にはミサの手助けをする侍者を務めてもいたという。自伝的な作品集『星を数えて』（金原瑞人訳、河出書房新社、二〇〇六）にもさまざまな祈りが描かれる。村中が知り合いのような田舎で繰り広げられる信仰にまつわるあれこれは、生活に密着した人間くさいものだ。彼の分身である主人公の少年は若者らしく、時に古くさい信仰をからかったり醒めた目を向けたりもするが、祈りが真剣な色合いを帯びることがある。それは理不尽にもたらされる悲しみや死に触れたときだ。父さんが重い病で苦しんでいるとき。幼い頃から可愛がってくれた老女の、戦争で恋人とお腹の子どもを亡くした過去を知ったとき。看護師だった彼女はガラス瓶に薬品に漬けた胎児を入れてずっと持っていた。亡くなった後、面白半分にそれを開けようとする老女の姪の息子の手から力ずくで瓶を奪った少年は、瓶から取り出した胎児の遺骸を布でそっとくるんで木の根元に埋める。そして「この世でのぼくのおこないが神の御心に届きますように」と祈りを捧げ、家に帰って看護師と兵士と瓶に入ったベイビーの物語を書きはじめる。

抗いがたい巨大な力に時として押し流される人間の無力さに相対したときに、心の底からわき出てくる、歯がみするような名づけがたい思いがアーモンドの祈りの源であり、その最もピュアな部分がボビーに託されているのではないか。その祈りをどう行動に変えていくのかという困難な一歩も含めてだ。

ボビーは、ダニエルと協力して写真を学校中に溢れさせようとする。この行為の行き着くところは、退学だ。祈りが闘いに変わった瞬間、世界も歩調を合わせるように危機のカウントダウンが始まってしまう。アメリカの海上封鎖が始まったのだ。「いったん始まったら……」「世界を何十回も吹っ飛ばすのに十分なくらいのミサイルがある」ことを誰もが知っていた。

その破滅のときに合わせるように、マクナルティーがキーリーベイの海岸にやってくる。使われていない古い小屋に隠れている彼に、エイルサがジャムタルトと紅茶を持ってきた。マクナルティーはボビーとエイルサを小屋に迎え、差し入れを喜ぶが、夕焼けの赤に怯えが募り、正気を失って二人に叫ぶ。「土の中に身を隠せ。世界は炎に包まれている！　空が燃えている！　もはや夜はない！」世界は緊迫の度合いを増していく。

その夜、テレビはキューバに配備された兵器や、さらに多くの武器を運んでいく船や、アメリカの船や、ミサイルや爆弾や爆発の映像を映しだした。暴動が起こったというニュースが流れ、CNDの活動家たちがロンドンで警察ともみあい、逮捕される姿が映しだされた。父さんは椅子の肘掛けにこぶしを打ちつけた。

「暴動だと？」父さんがいった。「ただ、やるべきことをやってるだけじゃないか。声をあげて、間違いは間違いだと叫んでるだけだ」

（……）

「おれたちのような労働者階級の人間が勝ちとってきたすべてのものは、それを手に入れるために闘ってくれた連中がいたおかげなんだ、ボビー・バーンズ。こびず、へつらわず、ただまっすぐに圧制者の目を見つめて、世の中間違ってると声をあげた闘士のおかげなんだ」

（……）

「そのことを忘れるな」父さんはいった。「しっかり覚えておけ。おれたちはこれからも闘いつづけなくちゃならんということを」

ボビーは、写真をばらまいたのは自分たちだとダニエルと名乗り出る。校長がボビーに投げつけたのは「労働者階級」「下層階級だな。そんな人間に本当の教育を受けるべき時が来ているなど、やはり夢にすぎないのかもしれん」とボビーの両親までさげすむ言葉だった。厳しい体罰を受け、処分決定まで自宅謹慎を命じる手紙を持って部屋を出ようとするボビーに校長は言う。「ご両親はこの手紙を読めるのかね？」。ボビーは怒りに震え学校を飛び出すが、両親が自分に託してくれた夢や希望が失われるかもしれないことが恐ろしくなる。両親は病院にいって留守だった。動揺し、不安と恐怖におびえるボビーを支えてくれたのは、兄さんのような存在であるジョゼフだ。「今年は十一月五日まで持たねえ。ひと足お先に火をつけようぜ」と言うジョゼフとボビーはガイ・フォークスの火祭のための薪（たきぎ）を集め、海岸に積み上げる。幼馴染に、ボビーは自分の苦しみを打ち明ける。

「ぼくはとてもちっぽけな存在だ」ぼくはいった。「それなのに何もかもが大きすぎる。ぼくにできることなんか何もない……」

（……）

「ほうれ、ボビー、しっかりしろ！」ジョゼフはいった。「とにかく、おまえはどなって、わめいて、足を踏みならすことができるじゃねえか。天に届くくらいでっけえたき火をおこすことだってできる。それから叫ぶことだってできる。『いやだ、冗談じゃねえ、我慢できねえ』ってな！」

思い惑うボビーの背中を押す父とジョゼフの言葉は、温かく力強い。「物語は崩壊に向かう力を押し戻すもの」——大阪府立中央図書館で行われた講演会（二〇一一年十一月三日）で聞いたデイヴィッド・アーモンドその人の言葉を、この物語を読み返しながら何度も思い出す。父とジョゼフの言葉は、暴力が網目のように張り巡らされたこの世界を生きてゆかねばならない私たちへの励ましであると同時に、アーモンド自身の創作者としての決意もこめられているのではないだろうか。

ジョゼフと別れ帰宅すると父と母は病院から帰っている。父は恐ろしい病ではなかった！　その喜びの一方で、核戦争への分かれ目となる日がやってくる。アメリカの国務長官が唇を噛んで言う。「我々は今まさに地獄の入口に立っているのです」

「火を喰う者」の遺産相続人

眠れぬ夜が明け、薪を積み上げた海岸に、人々が集まってくる。ボビーと両親。老いぼれポニーと子ジカを連れたエイルサ一家と、薪になる床板をどっさり運んできたジョゼフ。ダニエルと彼の両親もワインを持ってやってきた。まるでピクニックのようだが、これは滅びの不安と予感に満ちた「最後の晩餐」なのだ。ボビーの母さんが「マクナルティーを呼んでこなきゃ」と言う。ボビーとエイルサが迎えにいくと、マクナルティーは、一人で小屋の中で怯え、すすり泣いていた。

すべてが滅びるかもしれない未来への怖れは、今ここにいる人たちを強い連帯感で結びつける。マクナルティーも輪に加わり、パンとビールをもらい、自分の芸を渾身の力をこめて披露する。彼は自分の絶望に打ち込むように頬に串を突き通し、力を使い果たしたように砂の上に横たわる。

「大丈夫?」ぼくはいった。

マクナルティーはぼくの手をとった。穏やかなまなざしだ。

「あいよ」マクナルティーはいった。一瞬、すべての狂気がマクナルティーから消えうせたように思えた。マクナルティーはやさしい目でぼくを見た。「心配することはない」マクナルティーはいった。「おまえを愛してる」

夜の海に星空が反射してあたり一面がきらめく。積み上げられた薪に火がつけられ、炎が上がった。集まった人々が囁きかわす言葉。母さんの歌声。異なる階級同士のエイルサとダニエルが、肩を並べて「どんなに自由を愛していて、どんなに命令されることが嫌いか」話している。つかの間かもしれないが、ここはボビーを中心にして生まれた差別と偏見が洗い流された奇跡の場所だ。

そこでマクナルティーは炎を吹き上げる最後の芸を見せる。それを見ていたのは子どもたちだけだ。

「ほら、あれ」ぼくはささやいた。

ふたりはマクナルティーを見た。ぼくたちはそっとたき火から離れ、さらに深まった暗がりの中で、身を寄せあって見つめた。マクナルティーの目を見はるような技を、炎のように燃えるマクナルティーの顔を、炎を口にした瞬間に、炎とマクナルティーがひとつになるさまを。マクナルティーもまた、ぼくたちが見ていることに気づいていたのだろう。そしてわかっていたのだと思う。この子たちが自分を探しだし、海岸へ連れてきてくれて、自分のことを気にかけ、大好きになろうとしていたということを。だからこそ、マクナルティーは、まるで挨拶でもするかのように、ぼくたちに向かってたいまつを持った手を大きく広げたのだろう。それからマクナルティーは再び炎に息を吹きかけ、火柱を上げると、その炎を息とともに吸いこんだ。

炎を吹き上げる芸は、ガソリンなどの燃えやすい液体を口に含んで行うものだ。炎をすいこめば肺は焼けただれる。自ら吹き上げる炎で焼き尽くされる彼は、自ら開発した核兵器で滅びようとする人類の姿を象徴しているようにも見えるが、マクナルティーは愚かさゆえに死んだのではない。過去の戦争の記憶に深くさいなまれていた彼が、やっと誰かに受け入れられた夜に、マクナルティーは狂気から帰ってきた。そして、死を選んだのだ。私はこの死にアーモンドの書きたかったことが凝縮されているように思う。

キーリーベイ。世界の片隅。広大な宇宙の中のちっぽけな片隅。なんのとりえもない場所。石炭だらけの海のそばの石炭だらけの砂浜。（……）だがそれが、ぼくの暮らす場所、ぼくの愛する人々の暮らす場所、ぼくが愛するものが暮らしている場所だ。（……）神様、どうかぼくをみもとに召してください。もしどうしてもだれかを召さなくてはならないとしたら、このぼくを。ぼくは灯台のすぐそばのキーリーベイに、愛するもののすぐそばで暮らしています。ぼくは〈ルルド・スタンド〉を置いた窓のそばにいます。ぼくの名前はボビー・バーンズです。どうぞぼくを召してください。

ずっと終わらぬ恐怖の中をさまよいつづけていたマクナルティーは、滅びの予感のうちに少年の中に息づくこの愛と祈りを見つめながら「天に向かって炎を吐き、命をかけて、吐きだした炎をもう一度自分の中に吸いこんだ」。これは、マクナルティーの命をかけた「天に届くくらいでっけえたき火」だったのだ。国のために戦うことを強いられボロボロになるまで傷ついたにもかかわらず、誰にも顧みられず地を這いつづけたマクナルティーのかがり火。

繰り返された痛みと祈りのモチーフは、マクナルティーの死を聖なるものとして位置づける。彼が、やせ衰えた体の中で、この世界で最も巨大な暴力である戦争の恐怖と痛みが荒れ狂うのをずっと耐えてきた存在だからだ。その死をボビーたちが目撃し、そしてこの物語が、「すべてが書き残された」。彼の死を忘れぬために。

この夜、世界は崩壊しなかったが、「地獄の入口から数歩後戻りした」だけだ。この惑星が「毒にまみれた大地と空と海に覆われた黒焦げの球と化し、闇と無の空間を回りつづけている」かもしれない未来への不安は、変わらずに存在しつづける。自分たちの命の尊厳と平和への願いを、かがり火のように燃やしつづけること、理不尽な暴力に間違っていると声をあげつづけること。それが未来を変える手がかりだ。

この物語のタイトルが『火を喰う者たち』(*The Fire Eaters*)と複数形になっているのは、マクナルティーの怒りと愛の炎を受け継ぎ、過去の記憶とともに新しい世界を作り、暴力の火を食い尽くしていく者たち、ということであるのかもしれない。彼の死を見たものは、彼の火を受け継ぐものなのだ。

歴史の暗闇に眠る魂への旅

——戦争責任と子ども

三木卓『ほろびた国の旅』

一九四三年　満州

卓　八歳

表紙の機関車が迫ってくる。ずっしりと重量感のある見慣れない機関車は、かつて満州を走っていた「あじあ号」だ。当時の子どもたちの憧れの機関車は、満州という実質的な植民地における日本の力の象徴でもあった。

原爆のことは大なり小なり知っていても、満州のことはほとんど知らないという人は、とくに若い世代には多いのではないか。二百万人の日本人が暮らしていた満州国と、そこから引き揚げてきた人々の、膨大なはずの記憶。復興や経済発展の影で置き去りにされた彼らの記憶は、「今」を読み解く鍵として、もう一度検証されるべきものだと私は思う。

三木卓と満州

三木卓は、幼少年期を満州ですごした。終戦を迎えたときは十歳で、父親は引き揚げ前に満州の地で発疹チフスにより亡くなった。一九七三年、第六九回芥川賞を受賞した「鶸（ひわ）」は、過酷な環境の中での父親の発病から死に至るまでを少年の目から描いた作品だ。発病から二週間で死んでしまった父。その恐怖と不安の中で、暮らしのために煙草を売り歩く少年は、自分も死の淵ぎりぎりのところにいることを強く感じながら、小さな身体と心で恐ろしい現実を凝視している。

三木は、満州の都市、奉天や大連という、日本では見られないような広い街路と堂々たる建物のある都市の美しさを「心から愛している」という（『私の方丈記』河出書房新社、二〇一四）。『ほろびた国の旅』の舞台である大連の、ロシアが作った広場のある風景は、今、写真で見ても心惹かれる佇まいだ。幼い頃を過ごした場所は心と身体に深く刻まれる。引き揚げ後は母の郷里である静岡で成長した三木だが、満州は彼にとって特別な地だ。

『ほろびた国の旅』（講談社、一九六九）は、詩人として活動を始めていた三木が三十歳のとき、一九六五年に書きはじめた児童書であり、『砲撃のあとで』（集英社、一九七三）『われらアジアの子』（文藝春秋社、一九七三）など同じく満州での体験を描いた一般書に先行して書かれた、「はじめての長篇散文作品」（あとがきより）となる。

物語の主人公「三木卓」は大学入試に失敗し、「風景がとてもきれいに見えて涙が出てきたり」するような精神状態の中にいる。この経験は作者自身が体験したもので、『私の方丈記』に書かれた回想によると、この風景が異常に美しく見える状態のあと、不安や激しい動悸、閉所恐怖などの症状が出てきたという。芥川龍之介の遺書に「けれども自然の美しいのは、僕の末期の眼に映るからである」という一節があるが、このとき三木はやはり死に近い場所にいたのではないか。

生来病弱であった三木は満州で次々と病気をした。腸チフス、敗血症、ジフテリア。そのとき患った小児マヒの後遺症はずっと左足に残ったままだ。そして満州で出会った、数多くの死。引き揚げの狂乱を経て、故国という名の見知らぬ場所で、父のいない生きづらさとともに必死に歩いてきた軌跡は、『裸足と貝殻』（集英社、一九九九）『柴笛と地図』（集英社、二〇〇四）の自伝的な二作品に詳しい。不自由な左足のこともあり、人生の先行きに対する不安が、いつも主人公の豊三の心の中にわだかまっている。その根っこにあるのは、引き揚げ者の孤独だ。

餓死や病死の恐怖に怯えながら人々は引き揚げ船に乗ったが、無事に日本に帰り着いたとしても、疲れきった彼らがあたたかく迎えられないことも多々あったという。食糧難のときに、わざわざ帰ってきた厄介者。その眼差しの中で、日本を知らずに外地で育った三木のような子どもたちは、「おれたちが話している言葉って、ほんとうに日本語なのか」（『裸足と貝殻』）という、言葉に始まるありとあらゆる存在不安を抱えて、必死に内地に順応していかねばならなかった。父のいない三木の家庭は生活の不安とも常に戦わねばならなかった。大学受験の失敗で学校という帰属を失ったとき、さまざまなかたちで三木を襲った不安の症状は、通常時とは違う回路が開いた状態で、幼い頃に経験した引き揚げ者という自分の異質さを再確認してしまう経験だったのではないか。三木はそれを「十八歳のとき、自分が風景から剝がれおちた」（『私の方丈記』）と書いている。

その時期と重ね合わせるように書かれた、『ほろびた国の旅』。それは、満州で幼少期を過ごし、引き揚げを経験した者として根源的な記憶と向き合う旅だ。しかし、その記憶の中でも主人公の卓はあくまで異邦人だ。その異邦人は、不思議な道連れとともに不思議な旅をする。

主人公の三木卓――物語の主人公と作者を区別するために、以後は主人公を「卓」と呼ぶ――は、図書館で思いがけない人が本の出納台に座っているのを見る。それは小学生の頃、満州でよく一緒に遊んだ「山形さん」だった。「頭がよくないといううわさで、同年の少年と遊ぶことがきらいで、いつも、ぼくみたいなチビを集めて」遊んでいた人。卓は山形さんに声をかけるが、本当か嘘か、彼は卓のことを思い出せないと言う。

この山形さんという人物は、卓との関係も、その人柄も、飲み込みにくい人物だ。卓は山形さんの姿を見つけたとき、「あのおにいさん」が日本に帰ってきていてこうして会えた「うれしさと感動でこうふん」する。満州を知る仲間に会えたのだ。しかし二人の交わすやりとりは、旧交を温めるような懐かしさや親しさからは遠い。山形さんは卓のことを覚えていないと言い、「ぼく、人はいいですけど、頭がすこしわるいもんですから……」といきなりへりくだり、卓は彼のことを「山形さんだもの、きっとぼくのことを覚えていられないことをわかってあげなくちゃいけなかったんだ」とかばうような気持ちになっている。

立ち去ろうとした卓は、山形さんの机の上の一枚の切符に気づく。〈満州のこども　五族協和の夕べ〉と書かれたその切符には、今はなき満鉄のマークがあった。満州にいた子ども時代、何度となく目にしたこのマークに一九五四年の東京で出会った卓は、切符を見せてくれと頼むが、山形さんは「きみが見ると、きっとぼくからとってしまうんだ」とうろたえる。このあと二人が旅をすることになる、本書の舞台となる世界ではいつも山形さんが卓に偉そうなもの言いをするが、二人の間には常に上下関係があり、どちらかがどちらかを見下ろしている気配がある。

「作用あれば反作用ある。これ物理学の法則なり！」

卓がまず思い出した山形さんの昔の記憶は、こう言いながらいきなり扉にぶつかったかと思うと、今度は卓にひどくぶつかってきて、壁にいやというほど頭を叩きつけられたことだった。作用あれば反作用ある。どこかに力が加わると、同じだけ押し返す力が働く。満州で自分が一番上に立つことができる小さな子どもとばかりとばかり遊んでいた山形さん。どちらが強いか、どちらが上か。強いものが目をつけたら、いいものは取られると反射的に思わねばならぬ世界に山形さんはいる。

思わず切符をむしり取ろうとした卓と山形さんはもみ合い、引き裂かれた切符を手に、「中国関係」の書棚に激しくぶつかって、「ふたりのからだは、そこにひらいたやみの中へ、ひとかたまりになって、ころげおちていった」


最初にぼくが見たのは、星でした。

（……）いつも東京の夜空で見るような、かすれたような光ではけっしてありません。いちめんにすみわたった空には、月の光をうけて、まっしろい雲も輝きながら西へむかって疾走していました。まっかな惑星の火星が、さそり座のそばにいます。アルファ星のアンターレスが、さそりの心臓にあって、これも火星に負けないように赤い光を放っていました。


澄みわたる夜空の星。赤いランタンのついた二頭立ての馬車に、ニセアカシアの街路樹が植えられた広い道路。さらさらの空気。転がり落ちた衝撃で頭がくらくらする卓と対照的に山形さんはえらく元気だ。

「けがしていない？　ぼくは頭打った」

「ぼくが？　あはは」

山形さんはおおきな口をあけて笑いました。

「ぼくはするもんか。慣れてるから」

どうやらここは山形さんの「領分」らしい。裂けた切符の片方を握りしめていたせいで、この世界にいっしょに来てしまったらしい卓に「さっさと帰ってくれ」といい、「ずうずうしい」とののしる山形さん。この態度の変わりようはなんだろう。

「どこへ行くの？　ここはどこ？　いまいったい何時？」

「いま午後八時十五分過ぎだよ。ぼくのとけいは、この土地に合わせてあるんだ。いつでもね」

八時十五分……八時十五分……。ぼくは考えていました。この感じは七月のはじめだ……そうすると……。

（……）ぼくはそのとき、いっしょうけんめい考えていました。さそり座の高さから考えてみると……。

ここはどう考えても日本ではありませんでした。

そして馬車です。さらさらの空気です。ニセアカシアです……。ぼくはたしかにそれをどこかで知っていました。

「ねえ山形さん」

ぼくはすこしふるえる声で呼びかけました。

「ぼくわかったようだよ。ここがどこか」

「わかった?」

ぼくは言いました。

「中国の大連の町みたいだよ。むかしぼくが住んでた」

山形さんはじろりとぼくを見て、また前を向くとそのまま歩いていました。そして、とうとう言ったのです。

「そうだよ。大連だよ。でも中国の大連じゃない。満州国の大連だ。昭和十八年の、ね」

この世界——昭和十八年の大連の町——で、図書館ではおどおどしていた山形さんは不思議な自信に満ちている。


市電の停留所には、白い服を着た日本人がたくさん立っていました。満州人たちの街へ向かう、うすぎたない電車には、貧しい満州の人たちが鈴なりになって走っていました。

卓の目の前には、「少年だったころそのままの大連」がある。あの頃好きだったお汁粉屋。満州人たちとはあからさまに違う、いい身なりをした日本人たち。

被害者であり、加害者であるということ

卓と山形さんがたどりついた電気遊園地には、切符と同じ〈満州の子ども　五族協和の夕べ〉という看板が掲げられていた。独立国家という建前のもと、「関東軍に牛耳られる日本の傀儡国家」、満州国。

だからこそ満州国誕生の正当性を主張するためには、「世界歴史にその比類を見ざるほど崇高な」建国理念を打ち出さねばならなかった。そして非公式の植民地としての満州国を粉飾するために、日本・朝鮮・漢・満州・蒙古の五民族が順天安民（じゅんてんあんみん）と民本（みんぽん）主義にもとづいて平等に共存し（五族共和）、欧米帝国主義の覇権主義に対抗して東洋政治道徳を打ち立て、安居楽業（あんきょらくぎょう）の理想郷を実現（王道楽土）することになる「世界政治の模型」という理念を打ち出したのだった。

（姜尚中・玄武岩『大日本・満州帝国の遺産』講談社学術文庫、二〇一六）

自らの胡散臭さを隠すためのカルトの宣伝文句のような「五族協和」というスローガンのもとに、どうやら大勢の子どもたちが集められているらしい。この夕べの遊園地に山形さんはノーチェックで歓迎され、するりと入っていく。一方、十八歳の姿をした卓は受付に座る少年たちに呼び止められて氏名や生年月日を書かされる。大連に住んでいたころの住所を書き、生年をいつわってやっと卓は遊園地に入っていく。

遊園地の広場には「満州人、中国人、蒙古人、朝鮮人、白系のロシア人、そして日本人」の「色とりどりの服の男の子と女の子の大群衆」が楽しそうに遊び回っている。ドッジボール、駆逐・水雷、まりつきや花いちもんめ。一見平和で楽しそうだが、よく見ると違う。

（……）ぼくは、こんなふうに子どもたちがなかよくしているのをむかし見たことがあるだろうか。

そんなことはどうしても思い出せませんでした。むしろ、ほら、反対だったのです。ぼくたちはなかま同士でけんかもしましたが、中国人や朝鮮人のこどもたちとも、いつもけんかばかりしていました。

（……）そういえば、ここでは、じつは日本人の子どもたちが、いちばん自信をもってふるまっているのです。

中国人の子どもが朝鮮人の子どもをねらってボールをぶつけたり、日本人の子どもがいちばんのびのびと、はしゃぎまわっていたりと、一見、何の分け隔てもなく遊んでいるように見える子どもたちだが、お互いに民族の違いを強く意識していることを隠しきれない。

三木の描くこの世界はいったいなんだろう。過去そのものでもなく、現在でもない。強いていうなら、そのはざまのような、夢というにはリアルすぎる世界。卓が、受験に失敗し、必死に順応してきた日本で生きていくことに疲れてしまったときに現れてきたこの世界は、卓の中に生きている現在進行形の過去なのではないか。もはや戦後ではないと言われ、引き揚げという言葉も忘れられかけている戦後の暗闇にも生きつづけている過去。

内地で敗戦を迎えた日本の民衆は、ごく概括的に言えば、戦争の被害者であり、その意味では、もっぱら被害者であることを軸にして、戦争を批判し、指導者の責任を追及することができたけれど、植民地で敗戦を迎えた日本人の場合は、戦争の被害者であるということ以上に、他民族に対して加害者であったことが、重い意味をもってくる。

この二重の関係に置かれていた三木は、後年、戦争や国家や民衆を考える場合、たとえ自分たちが被害者であったとしても、民衆の無垢とか無罪性とかいうことは、はじめから信じようがなかったに相違ない。

（吉野弘「三木卓素描」『三木卓詩集』現代詩文庫44所収）

子どもという弱い立場で体験した被害者としての自分と、子どもでありながら加害者であったという強烈な記憶。そして日本人として生きることとは何かを常に問いつづけなければならなかったこと。この二面性が、この作品世界には常に孕まれている。五族共和という美しい建前と差別の現実に挟まれながら楽しく遊ぶふりをする子どもたち。この飲み込みがたい違和感が、この広場に充満している。そこにすっと溶け込み、馴染んだ山形さんとはどのような存在なのか。

広場から離れた卓は、電気遊園地の中に不自然につくられた列車の引き込み線と、活き活きと子どもたちに旗を配っている山形さんを見つける。そして山形さんが威勢よく吹き鳴らした笛とともに、あじあ号が姿を現す。

ピリピリピリピリピリ……。
子どもたちはみんなその場に立ちどまると、しんとなりました。
「おい、みんな。聞いてみろ！」
山形さんが言いました。みんな耳をすませました。
たしかに遠くのほうから風に乗ってなにかが聞こえてくるのです。子どもたちの顔がしんけんな様子になりました。

それは満州国国歌でした。

あの耳なれたリズムがだんだんぼくたちのほうへ近づいてくるのです。

そのうちに、レールが、カタン、カタン、と鳴りはじめたのです。

（……）

いまはもう満州国国家ははっきりとおおきくぼくたちの耳にとどろきます。

「角をまがったぞ。きたぞ！」

「止まるまで近づくな！　あぶないぞ！」

そのときごう音とともにおおきな姿をあらわしたのは、ああ、ぼくも見覚えのあるあじあ号でした。満鉄が、いちばん誇っていた流線型の特急機関車だ。まるで巨鯨の頭のようにずんぐりしていて、まっくろい力のかたまりのように見えたのでした。

「あじあ号、ばんざい！」


あじあ号は、満鉄で設計し満鉄の工場で製造した、満州国国産の特急だ。平均時速八〇キロ。「当時の日本では見られない豪華な座席と全車両の冷房、食堂車ではロシア人の美少女が「あじあカクテル」を給仕する」（天野博之『満鉄特急「あじあ」の誕生――開発前夜から終焉までの全貌』原書房、二〇一二）という、自慢の特急であった。卓は美しく飾られ、お菓子がいっぱい盛りつけられた車両の中を進み、展望車のところまでやってくる。

ぼくはなかをのぞきこみました。くらくてよく見えません。僕は首をつっこんできょろきょろと見まわしました。

するとと暗やみのなかから、おそろしいうめき声が、いくつもいくつもあがり、それが、うらめしげにだんだんおおきくなっていくのです。

ぼくはぞっとしました。いったい、この秘密めいた車両になにがあるのだろう。はなやかな世界の裏に何がかくされているのだろう、それを知らなければならない、とぼくは思いました。

日本の満州進出の足がかりになった国策会社、満鉄は関東軍の野心を体現するものだった。炭坑、製鉄所、ホテル、ダム、重工業、セメントなどの事業が満鉄を中心に推し進められた。その大規模な開発を支えたのは、徴用・連行された何万人もの中国人であり、旧満州領地には、劣悪な環境での重労働で死んでいった人々の骨が「万人坑」として今も残る（青木茂『万人坑を訪ねる——満州国の万人坑と中国人強制連行』緑風出版、二〇一三）。満州の発展の影には多数の血塗られた犠牲があった。あじあ号はその力の象徴、まさに「まっくろい力のかたまり」として子どもたちのところにやってくる。子どもたちは、わあっと歓声をあげて駆け寄り、乗り込んでいく。

五族のるつぼで「血」に引き裂かれて

日本人の子どもが幅をきかせる汽車から、一人の子どもが山形さんに押されてレールに転がり落ちる。安治(あんじ)だ。イギリス人の父と日本人の母を持つ少年だった。いつも顔色が悪く、やせて丈夫ではなかった安治。助け起こした卓の頭の上から生暖かい山形さんのつばが降ってくる。「なにするんだ」と怒る卓に、山形さんは「だけどあいのこだよう」と言い放つ。

三木は、『われらアジアの子』の中で、主人公の健の姉が「あたしの身体には半島人の血がはいっている」と母を責めるシーンを描いている。健は死にゆく姉を見ながら「朝鮮人の血は日本人の血とちがうだろう」、その血の色を確かめたいと思う。日本以外の民族の血は汚れた血であるという観念が、子どもたちの間には強く共有されていた。しかし、なぜ「あいのこ」ではいけないのかを、誰も知らないのだ。

（……）山形さんは、人をいじめたり、わるいことのできるような人間じゃない。この人は、とてもすなおな人だから、かんたんにだまされたり、人の言うことをたやすく信じてしまう。あいのこならどうしていけないのか、ほんとは考えたこともないのに、みんながそう言うから、そう言うだけなんだ。

万世一系の皇国史観を教え込まれ、大人たちに素直に従って、子どもたちは「血」にこだわった。ファシズムになびきやすい性質は私たちの中にもともとあるものだろう。群れたいという本能、多数派という集団で異なる者を糾弾し貶めることへの密かな欲望は、思考停止によって解放され、権力と結びついたとき、容易に発動する。そして、邪悪でもなんでもない、「すなお」で「わるいことのできるような人間じゃない」山形さんが、真っ黒い力の塊であるあじあ号を笛を吹いて呼び寄せるのだ。素直に権威に服従し同調する危うさは、三木がこの作品を書いた当時も、五十年以上経った今も、変わらない。私たちは、卓のように山形さんとともに暗い旅を続けているのではないか。

安治と卓に再びつばが降りかかる。現れたのは三人の中学生ぐらいの男の子だった。冷たい眼で敵意をもってナイフを光らせ、「敵国の血のまじっているあいのこ」と「あいのこを助けるやつ」への敵意をあらわにする彼らは、時代の圧倒的な多数派だ。彼ら――この物語の中では、「個」であることを放棄した、あるいは剝ぎ取られた多数派には名前がなく、常に暴力の気配を漂わせている。

三人から逃げ出した卓と安治は、今度は卓を「伏見町の三木さんのところの子ども」の名を騙ってこの子どもの催しに入り込んだスパイだと怪しむ憲兵に追われる。逃れようと飛び込んだ「ひみつの穴」からすべり落ちていった二人は夜空の下の草むらに投げ出される。

十八歳の卓と、子どもの安治。二人は追っ手を逃れて、昭和十八年の満州の街へ駆け出してゆく。南満工専――南満州工業専門学校に入り込んだ卓と安治は、あのころ大好きな遊び場だった双発の輸送機の廃物に乗りこみ、星明かりの下、操縦席で語り合う。ここから、卓は名前を持つ子どもたちと対話していくが、彼らは皆、時代の中でマイノリティとして、もしくは抑圧されて生きている子どもたちだ。その一人目として登場する安治に、三木は長い頁を割いている。それは、安治の孤独に戦後の自分を重ねているからではないか。

「あいのこ」である安治は、いずれは少年航空兵として「大東亜共栄圏のために、一身をささげるつもり」だと卓に伝える。卓は国のために、戦争へいって人を殺したり、殺されたりしなくてもいい、ということを伝えようとするが、安治には届かない。安治の頑なさと必死な健気さの奥には、「あいのこ」と言われる悲しみや悔しさが詰まっている。そして私は安治の悔しさや孤独に、引き揚げ後の日本で暮らす三木の孤独を重ねてしまう。引き揚げ船から博多に上陸し、列車に乗った三木は日本の列車が満鉄の広軌列車と違い、あまりに小さく玩具のようにこっけいであることに驚いたという。それは『裸足と貝殻』の中にも再現されているほど象徴的な出来事だったようだ（「戦後世代のクリストファー・ロビン」『詩の言葉・詩の時代』晶文社、一九七一所収）。「おふくろや、じいさんが、まるで天国のように言っていた祖国の実態とはこんなものだったのか」。大連の堂々とした建物とは違う、『キンダー・ブック』などで知っていたわらぶき屋根や柿の木のある箱庭のような風景が「ファンタジーや昔の話ではなく、現実なのだと気づいた時の妙な気持」を三木はずっと忘れられないと書く。内地の人たちが知らない豊かさを知っている自分。引き揚げ後の「無一物の母子家庭」（『私の方丈記』）としての厳しい現実。「まるっきり自分が属する国について知らない少年」が、箱庭のような日本の中で生き延びなければならなかった。満州で生まれたというアイデンティティと「日本」の間で常に引き裂かれていた三木。そして、父親の「血」と日本人として生きることの間で引き裂かれている安治。

「かあさんはね、だれよりもりっぱな日本人として生きる決心を持ちなさい。そうして、自分がそういう気持ちでいることを他人にも堂々と示しなさい。それが、おまえの生きるみちです、っていうんだ。ぼくもそう思っている」

安治はすこしふるえる声でそう言うと、操縦桿を握りしめて、機銃の銃把を引くしぐさをしてみせました。もちろん、なんの発射音も聞こえません。しかし、いま、安治の頭のなかでは、何にむけてか、よく自分にもわからないけれど、たしかに機銃がつづけざまに火を吐いてうちつづけているのでした。

安治が撃ちつづけているものは、少年の日々の中で三木自身が撃ちつづけてきたものでもあるのだろう。弱い立場にいるからこそ、今を生き延びるために軍国主義に自分を捧げようとしている安治に、卓はこの満州の本当の姿を伝え、兵隊になってはいけないということを、かつての自分に言うかのように伝えようとする。

「ねえ。安治。満州国っていうのは、とてもすばらしい国のように見える。すくなくとも学校の先生や、本を読むとそう書いてある。ぼくもそう思ってきた。いままで苦しんできたアジアの人びと、いろいろな民族がたのしく暮らせる、天国か極楽のような国をつくるためにみんなが力をあわせる。そのなかでも日本人は、いろいろな意味で東洋ではにいさん格だから、みんなのめんどうを見ていく立場にあるんだ、と教えられてきた。しかし、ほんとうにそうかしら」

「………」

「今夜だって、日本の憲兵がとてもいばっていた。ここは、満州国で、日本じゃないでしょう。それなのに、関東軍という日本の軍隊が満州国軍よりずっといばっている。満鉄は日本の会社でしょう、日本人はいい家に住んで、いい服を着て、おいしいものを食べている。そうして、満州人のことをニーヤンなんて呼んで見下している。ぼくは、どうもね、本や新聞に書いてあることは、だいぶちがっているような気がするな。きっと、きみも、ぼくもだれかにだまされているんだ」

戦時中、教科書も児童書も子どもたちに皇国史観と軍国主義を植えつけてきた。昭和十三年に内務省の指示により児童書の統制が始まる。「児童読物改善に関する指示要綱」により、児童向けの出版物は「国家精神総動員に見合うものにしろ」という圧力がかかるが、その基準には具体性がなく、取り締まる側の恣意的な判断にまかされていた。つまり、こいつは気に入らんという出版物や作家を自由に取り締まることができたのだ。実際に昭和十四年に検閲を受けた児童図書のうち「内閲を通過したものは過半数にも満たない状態」であり、「且通過したものにしても、殆んど修正、訂正の加わらなかったものはなかった」というほど検閲は厳しいものであったという。（山中恒『少国民戦争文化史』辺境社、二〇一三）今の自分なら、きらびやかな言葉で語られる戦争賛美の言葉も押しつけの嘘だとわかる。しかし子どもだった卓は、それをそのまま受け入れていた。「三木さんの卓坊だって、ぜったいに戦闘機だ、零戦にのるんだって、言っているよ」という安治の言葉に、卓は自分も「蔣介石の軍隊や、アメリカやイギリスをやっつけてやるんだ」と思っていたことをショックとともに思い出す。安治と星空を見ながら語り合ったのは、安治に託したい思いがあるからなのだが、安治はそんな卓をスパイではないかと恐れる。

「（……）ぼくはきみの友だちだ。スパイじゃない。ずっとまえから友だちだ。だけど、こういうかたちで会ったのは今夜がはじめてだし、そして今夜だけでもうないだろう。でも、ずっと友だちで、ぼくはきみといっしょにいるだろう（……）」
「おにいさんて、ほんとうによくわからない人だね。ぼくは、おにいさんと、友だちだったことはないよ。あなたは、きょうはじめてあって、ぼくにおそろしい話をしてくれた人だよ」
「だったらそれでもいい。その〈おそろしい〉話をよく覚えていてくれたらそれでいい。あとは自分を大事に考えてくれさえしたらいい。いいかね、この満州国という国は、その醜い本性をさらけだしてもう二、三年するとほろびてしまうのだ。（……）」

卓は安治を家に送り届けたあと、ひどく疲れを感じながらも、一人で八歳の少年だったあの頃の自分に会いにいく。それは、すっかり忘れていた過去の自分の姿を確かめにいくことだ。

幼い頃に住んでいた家が、そのままの姿でそこにある。安治と同じく虚弱だった「ぼく」はジフテリアの予後が悪く伏せっており、母に「へんな満人がこのあたりをうろうろしている」と言い、自分の見た悪夢について話していた。

「(……)追いかけられたんだ。ひげをいっぱいはやして、にんにくくさくて、まっかな目をした満人がね、むちみたいなものを持って、ぼくを打とうとして追っかけてくるんだ。ぼく、いっしょうけんめい逃げたよ(……)」

そして、卓は気づく。

(……)ぼくは、子どものころ、自分が満州人もなにも、区別しないでなかよくすることを考えていたつもりでした。ここへくるまでそう思っていました。

しかし、いまはぼくも、あのころのふつうの日本人の子どもと同じだということがよくわかってきました。ぼくは満州人をおそれ、けいべつし、自分とは別の人間だ、と思いこんでいたのです。どうしてぼくは、そういうことをすっかり忘れてしまうことができたのでしょう。

「わたしたちは熱狂的な愛国主義者であり、好戦主義者であり、また人種差別論者でもあった」と三木はエッセイ「子どものイメージが放つもの」(『詩の言葉・詩の時代』所収)の中で述べている。満州という巨大な「五族」のるつぼの中で、内地にいた子どもたちより強烈に「血」を意識して暮らしていた三木。敗戦から、父を失い、引き揚げまでの日々は三木の作品の根本に常にある。

わたしは一九三五年に生まれ満州で育った。幼少年期はいつも砲と爆音がとどろいていた。戦後の時期をも含めてわたしの生きた現実は、人間の現実としては、あるいは類型的なものだったかも知れない。しかし、わたしにとっては、もちろんこれが、自分をきめた大きな要因のひとつである。

（「目撃者としての詩」『詩の言葉・詩の時代』所収）

その記憶のなかでも、三木の心にかかりつづけているのは「民衆の無残さ」、つまりたやすく国家の意志と一体化して、正義の名の下に非人間的行動に走った人たちのことだという。「まだ何もわからないこどもたちに国家のための死を要求しつづけ、そしてこどもたちを好んで殴打し、命令」した教師たちの顔。隣組や国防婦人会の役員たち。

社会の中に生きることは、その社会が持つ負の側面に否応なく我が身をさらすことでもある。国家の抱える差別構造を我が身に取り込み、知らぬうちに暴力に荷担し……。一九五〇年には朝鮮戦争が始まり、一九六〇年には日米安全保障条約が締結、一九六四年には北ベトナムへのアメリカの空爆が本格化する。そしてこの『ほろびた国の旅』が起稿された一九六五年には、日韓基本条約が締結される。「韓国側が、日本の植民地統治は違法な支配ゆえに賠償責任が発生すると主張したのに対して、日本側は、賠償権問題と経済協力とをすりかえて経済協力資金を供与する」（糟谷憲一、並木真人、林雄介『朝鮮現代史』山川出版社、二〇一六）ことで韓国側が譲歩して決着したこの条約は、侵略に対する公式な謝罪もなく締結された。戦争責任は曖昧なまま、朝鮮とベトナムの戦争による好景気だけ甘受した日本。三木が長女誕生の翌年である一九六五年に『ほろびた国の旅』を書きはじめたのも、この政治の方向性が大きく影響しているのかもしれない。

『われらアジアの子』にも、山形さんのように子どもたちを従えて遊ぶ、少年航空兵の受験に失敗したばかりの青年、五条が描かれる。満州の日本人の少年たちのグループの中にも上下関係があり、いじめがある。五条と健は、成績や費用の問題などで思うように進学できないフラストレーションを中国人の罪もない男にぶつけ、凄惨な暴行を加える。先に暴力をふるうのは、五条だ。コンプレックスを抱え、軽率だが人づきあいのいい、どこにでもいる普通の人。五条は、歴史の表舞台には立たないが、時代の暗部に便乗し、時として暴力をふるう人間の無意識にわだかまる一面を担っている。山形さんはその系譜に連なるものといえるだろう。

社会構造の底にいる子どもからの眼差し

卓は昔の自分の姿を確認したあと、あじあ号まで帰ってきた。動き出したあじあ号は、山形さんと卓を乗せてハルビンに向かう。卓の前に、満州の差別されてきた子どもたち、そして『満洲日日新聞』の記者だった自分の父親が、次々に現われる。卓はその一人一人と静かに言葉を交わす。対話、と言ってもいい。五族共和という言葉が示すように、さまざまなアイデンティティが渦巻く満州で、自らの民族の帰属について日々悩んだり虐げられたり、苦しまなければならない子どもたち。彼らの眼差しは、私たちが忘れきっている他民族への抑圧の責任をくっきりと浮かび上がらせる。抑圧された子どもたちの眼差しから見えるものは、ここでは悲惨と絶望だ。しかし、そこに加害者の立場から深く切り込むことで、三木は新しい地平を切り開こうとしているのではないか。この作品が書かれた時代に、いや、今現在に至るまで、ここまで日本の歴史の暗闇に深く分け入る児童文学は数少ない。

あじあ号の中で、卓は三人組の中学生が、「あいのこ」の安治を今日からは交代で見張ると宣言していたと知らされ、暗然とした気持ちになるが、一方で「日本人」にこだわる安治が、この試練を糧に、そこから抜け出さねばならないとも考える。

（……）安治はふたつにからだをひきさかれているような人間なのだから、そのことを忘れないで、そのことのうえに自分というものをすえて生きることがたいせつなのだ。（……）安治は、ふつうの日本人とはちがう日本人にならなければならない。ちがうところから日本という国を見、世界というものを見ることができるようにならなければいけないのです。（……）

引き裂かれた存在だからこそ、見えるもの。そこから、二つの相反する立場に引きずられない新しい叡智を生み出すことができるのではないかという問いかけから、あじあ号での対話ははじまる。日本人の男の子に怪我をさせられ、そのうえ憲兵に「なんだ。朝鮮人か。そんなところにいるからいかんのだ」と怒鳴られた妹を介抱する高（こう）は、朝鮮から満州に家族で移民してきたこと、故郷である間東で起こった虐殺事件のことを卓に話す。

「間島っていうとなにか思い出しませんか。そのほかに」

（……）

「(……)そうです。ここでは、たくさんの朝鮮人が殺されています。有名な虐殺事件があったところです。民族の独立をねがう朝鮮人の運動の中心になっていた土地です。日本は……日本は、たくさんのぼくらの同胞を殺しました。ぼくの知り合いの人、ぼくのおやじの友だちもたくさん死んでいます……」

高の目は怒りに「はげしく、うつくしい色」をして燃えていた。「チョウセンジン」「ヤーイ、ヤーイ、チョウセンジン!」と日本人の子どもたちにいじめられるこの「おとなびた朝鮮人中学生は、自分があじわってきたたくさんの事件のために、ずっとずっといそいでおとなにならされてしまった」のだと卓は思う。

(……)子どもというものは、だれかえらい人が言っていたように、なにも書いてない、まっしろなノートみたいなものです。ぼくのこのノートとこの中学生のノートに書いてあることは、ずいぶんちがうでしょう。かれのには、きっと、ものすごくたくさんのことが、おそろしいことが、考えねばならないことがぎっしりこまかな字で書きこまれてあるのです……。

そして奉天の駅では、満州人の少年が縄や棒を持った日本人たちに追われてあじあ号に駆け込んでくる。卓は、あじあ号に乗っていた満州人の楊(ヤン)という少年に間に立ってもらい、少年の話を聞く。少年は日本人街へ卵を持っていっては煙草と交換して商売をしており、たまたま風に飛ばされたシーツが身体にからみついたのを、盗みを働いたと、いっしょにいた友だちまで捕まって縄で両手を電信柱にくくりつけられたというのだ。あるいは、彼は本当に盗みを働いたのかもしれない。しかし年端もゆかない子どもが盗みをしなければいけない世界がそこにあるのだ。

人のものをとることはわるいことです。でも、なんの罪もない子どもが、おなかがへったり、着るものがなくて寒さにふるえていたり、盗みを働かなければ生きていけないとしたらどうでしょうか。そのときには、おとなたちは、まずそういう子どもたちにごはんやシャツをあげなければいけません。ごはんやシャツをあげないで、げんこつやむちやなわをくれる世界、それが貧しい満州人の子どものとらえられた世界なのでした。

盗みを働いた満州人の子どもは、盗んだものをうばいかえされた上で、こうやっていじめられるのでしたが、そのあいだじゅう、日本人の子どもたちは遠まきにしてそれを見ていました。ぼくもそれを見ていました。（……）

「在日」へのあからさまな民族差別。子どもの貧困も、ホームレスの生きづらさも、自己責任と責めるばかり。この物語が刊行されてから五十年以上が経ったが、ここに書かれた問題はそのまま日本社会の中に根強くありつづけている。

物語のタイトルが『ほろびた国への旅』ではなく、『ほろびた国の旅』である意味がずっと気になっていた。卓の旅する満州は、タイムスリップの旅ではない。自分の中に眠る「ほろびた国」の記憶と対話を重ね、五族共和という美しい理想の影に何があったかを検証していくこの旅には、「へ」という（地理的・時間的に）一方向を指示する格助詞はふさわしくない。過去の記憶との対話は卓のいる

「今」を、そしてこの物語を読んでいる読者の今を照らし出す双方向の営みだから。一方、「の」はどんな語句につくかによって、非常に数多くの意味を作り出す。一般的にいえば、『ほろびた国の旅』は、「カナダの旅」や「中国の旅」とおなじく「ほろびた国（における）旅」という場所を示すことになるだろう。が、それだけだろうか。同時に主格的な用法、「ほろびた国」が今なお旅を続けているというニュアンスも含まれているように思えるのだ。満州としての形は失われても、自分の中に、また日本という国の隠れた部分に横たわり、何かきっかけさえあれば、あじあ号のように轟音をとどろかせ姿を現すもの。その力が、再び子どもたちを恐ろしい場所に連れていくのではないかという危機感が三木にこの物語を書かせている。

親が声をあげなくなるとき

初期詩集『東京午前三時』『わがキディ・ランド』には、長女の誕生をテーマにした詩が幾つも収められている。その中の一つ「客人来たりぬ」では、生まれてきた新しい命への感謝がまっすぐうたわれている。「遠路はるばる　ごくろうさま！／ようこそ！／えりにえって　こんなまずしい夫婦のところへ／ほんとうに有難う…」。その瑞々しい柔らかい存在とともに想起されるのは、かつての、そしてこれから響くかもしれぬ子どもたちの叫び声だ。

ふいに未来と思っていたようなものは裂け
そのむこうに　現実の街並がせりだしてくる
かつて　そのなかから

暗い空をよぎってひびいた叫びごえは
これからはぼくの喉のものになり　生れたての娘のものになる

過去の叫びは今と未来を貫いて響いている。腕に抱いた赤ちゃんの重みを感じ、「世界一新品の」父親となった三木には、引き揚げ者として加害者と被害者、日本と満州という引き裂かれたアイデンティティを持つ自分こそがまず声をあげるのだという強い決心があったのではないか。その決意は、卓と父との対話へと引き継がれる。

卓は、取材のためにこのアジア号に乗りこんでいる父に会い、言葉を交わす。成長した息子が、とうに死んでいる父親にあじあ号の中で再会し、詰問する。複雑なシチュエーションだ。

東京で「日本の政治や社会のしくみがまちがっている」と考え、「どんな暴力も憎んでいた」父に、卓は問う。「この国が、日本につごうのよい植民地で、この国では日本人以外の人びとはけっして幸福になっていないし、日本人自身も、金や力を持っているのでよくは見えますが、人間としては恥ずかしい生活を送っている人がいること」をあなただって知っているだろう、と。厳しい抑圧の時代に生きる困難さを知り尽くしている父は、卓の言葉に共感しながらも、真実を口にすることができない苦しみに口ごもる。

卓は父に詰め寄る。

「子どもは、このいまの時代が教えることをそのままうけとります。そして、それがほんとうはどういうものなのかを、言ってやる口は封じられています。ほんとうのことを言えば――憲兵がやってくるでしょう」

子どもは時代が教えることをそのまま受け取る。学校教育、身近な大人の言動、マスコミや読み物から考え方を、価値観を吸収する。そして父は、心の自由がどんどんなくなって、息苦しくなった「内地」を逃れ、満州にやってきたのではなかったか。その父が口をつぐんでしまったのはいつだったのか。父は卓に答えて言う。

「そう……それはきびしい問いだ……。あなたは、思想という言葉や、思想家という言葉を聞くと、とても、ふつうの人間では及びもつかないような考えやその持ち主のように思うだろう。わたしもそう思わないわけじゃない。しかし、思想というのは、必ずしもそんなむずかしいものではないのだ。それはだいたいが平凡なことなのだ。ただ、それを言うこと、そのことを守ることに対する勇気やがんばりのあるなしがとてもおおきな問題なのだ。……つまり、自分の考えが自分で支えきれなくなったとき、わたしは、だまった。それは、わたしが自分の子どもたちを守ろう、と思ったときかもしれない……」

何も特別ではない平凡なこと。それは、国籍や民族やさまざまな帰属を超えて、ただ人間が人間らしく生きられることではないか。大人が自分たちの生活や家族を、「自分の子どもたちを守ろう」として、おかしいことにおかしいと声をあげなくなったとき、子どもは「教育という場を媒介にして直接国家権力と結びついて」しまう（「子どものイメージが放つもの」『詩の言葉・詩の時代』所収）。その果てに何があるのか。

父と別れ、山形さんの隣で一緒にうたた寝をしている間に、子どもたちが消え、機関士も運転士も姿を消す。暗闇を暴走する巨大なあじあ号はついに脱線し、二人は機関車から放り出される。

そこはどうやら昭和二十年八月の満州東北部のようだ。ソ連軍が侵攻を始め、開拓村の日本人たちは日本軍のもとへいけば助かると避難を始めたが、「それは大きなまちがいだった。そもそも当時の日本軍には自国民を保護するという発想がなかった」。また「捕虜になるより自決せよ」という軍の規範を守ったのは軍隊よりもむしろ開拓民たちであり、集団自決も数多く行われ、親が我が子に手をかけることもあったという（足達太郎「東京農大満洲農場の記憶」『農学と戦争――知られざる満洲報国農場』岩波書店、二〇一九所収）。

戦車のキャタピラ、軍靴のあと、馬のあしあと、荷車のわだちのあと。

（……）

ここを軍隊が通り、避難民が通ったようでした。

「ほら、あれ」

山形さんが声を出しました。見るとぬかるみのなかに、こけし人形が半分どろまみれになってころがっていました。それと、座ぶとんをぬいあわせたような防空ずきんです。

白樺の林に入っていくと、たくさんの子どもの姿がある。疲れて眠っているかと見えた子どもたちは、近寄ってみると、みんな冷たくなっていた。一式戦闘機 隼（はやぶさ） の模型をしっかり握りしめて。かすりのモンペをはき、キャラメルの箱で作ったハンドバッグを大事そうに抱えて。大人が口をつぐんで守ろうとした子どもたちは、冷たい土の上で亡骸になってしまった。

（……）この子たちは、おとなの罪のために、また土へ帰ったのです。いや、日本人の子どもだけではない。たくさんの、いろんな国の子どもたちが、満州の土の上で死んだのです。なんの理由も意味もなく殺されたのです。

ぼくは山形さんを起こして、子どもたちのことを話してやりました。それから、つもった落ち葉をよせて集めて、ひとりびとりの子どもたちをおおってやりました。子どもたちは、ちいさかったので、ちいさな黄金の山が次々にできあがります。林の木立ちの根元のあちこちにできた、枯れ葉の土まんじゅう。子どもたちがねむるにふさわしいところ……

あじあ号は、巨大な力で満州を、そこにいた子どもたちを死に運んでいった。この場面には、三木の彼らに対する鎮魂の思いがこめられている。しかし、この鎮魂は無垢で純粋な子どもたちを悼むというような穏やかなものではない。犠牲になった子どもたち自身の中にあった、日本という国家のあり方と深く結びついた自分自身の狂気と罪の告発も含めての血を吐くような鎮魂だ。

三木は「この世界の構造とその質について、わたしは次第にイメージを思いえがくようになったが、その底におりかさなって倒れているのはこのこどもたちである」（「子どものイメージが放つもの」）と述べている。卓があじあ号で父親に放った問いは、そのまま父親になった自分への問いでもあるのだろう。

子どもたちが落ち葉の中で死んでいる絶望の場所で、卓は子どもたちとともに一夜を眠った。そして、卓のほろびた国の旅は終わる。エピローグ——物語は再び、一九五四年へと還っていく。図書館で出納台の青年と切符を奪い合って倒れた卓は、もとの図書館にいる自分を見つける。山形さんによく似てはいるが別人だった青年と別れ、一九五四年の東京の街に出た卓が買った新聞には、三八度線の向こう側に立つ新聞記者になった高(コウ)の姿がある。駅のプラットホームにはスマートなマフラーをして元気そうな安治の姿。

> こうして、ぼくは知っています。楊(ヤン)が撫順(ぶじゅん)で技師になっていることも、白系ロシア人の女の子のアンナがソビエトに帰ってピアニストになっていることも、そのほかの子どもたちも、みんなこの世界のどこかにいるのです。

「国境をこえて、あのときの子どもたちの力が堅く結びつく日」を夢想してこの物語は終わる。「抑圧されているもの、虐げられているものの方が恒星なのだ」と三木は言う(「憎悪について」『詩の言葉・詩の時代』所収)。子どもという、最も虐げられやすい存在、その弱さから社会を見るとき、この世界のありようが映し出される。私たちに生き方を問うてくる。ほろびた国の旅が投げかける光が、私たちの未来を、嶮しいけれども行くしかない道を、照らしている。

忘却と無関心の黙示録

——壮絶な最期が語るもの

グードルン・パウゼヴァング『片手の郵便配達人』

一九四四―四五年　ドイツの山あいの村　ヨハン　十七歳

昔、子どもの頃は、戦争は大人の男がするものだと思っていた。自分の子どもがすっかり成人した今、どの戦争の記録を読んでも、兵士たちの年齢を見て愕然とする。殺したり、殺されたりするのは、自分の息子と変わらない若い男の子たち。爆撃に手や足をもがれ、暴力に蹂躙されていくのは、「おばちゃん」と声をかけてくれたりする、幼い頃から知っている桜色の頬をした娘たちなのだ。そのことを心に教えてくれるのは、いつも、この本のような心に響く物語だ。

『片手の郵便配達人』（グードルン・パウゼヴァング、高田ゆみ子訳、みすず書房、二〇一五）の主人公、ヨハン・ポルトナーもたった十七歳で戦争に駆り出され、左手を永久に失ってしまう。

ヨハンは、入隊の日をどれほど心待ちにしていただろう！　十七歳の誕生日の直後、その日はやってきた。獅子奮迅の活躍をするつもりだった。みんな、目を見張るがいい！　のちの子どもたちは、僕の英雄的な活躍について教科書で学ぶことになるのだ。

しかし実際は、そうはいかなかった。間に合わせの訓練を受けただけで前線へ送られた。そして二日目、見習い兵士ヨハンの左手は榴弾の破片で吹き飛ばされてしまった。三週間後、彼は村に帰ってきた。

この作品に先立ってパウゼヴァングが書いたナチス時代の少年少女をめぐる短編集、『そこに僕らは居合わせた――語り伝える、ナチス・ドイツ下の記憶』（高田ゆみ子訳、みすず書房、二〇一二）に収められた『ランマー』にも、「僕は敵をズタズタにするまで戦う！」と召集令状を待ち焦がれる少年の姿が描かれている。ヨハンも戦争に行くまでは、当時のありふれた軍国少年の一人だったのだ。第二次世界大戦末期の一九四四年、赴いたレニングラード（現・サンクトペテルベルク）近郊の前線での経験は激烈なものだったはずだ。しかし作者はそのことにはほとんど触れない。物語は、ヨハンが負傷後に軍務を解かれてドイツの山奥にある故郷に帰り、見習いとして働いていた郵便配達人の仕事に復帰した三ヶ月後から始まる。

『片手の郵便配達人』は二〇一五年、ドイツで刊行された。読者の対象年齢は「十四歳以上」となっている。いわゆるヤングアダルトの世代だが、大人も「児童・ＹＡ」と意識することなく読むことができる。装丁のみ児童向け・大人向けと二種類あり、中身はまったく同じ、という本がヨーロッパでは時々みられるが、この本はそれとは違う。ドイツ語原書の装丁もすっきりと大人っぽくて、ヤングアダルトから大人まで、年齢の枠を超えて読まれている。ナチス関連の物語は児童文学、ＹＡにおいても多数の著作があるが、ヒトラー政権下のドイツの、銃後の人々の暮らしそのものに焦点をあてた作品はめずらしい。特殊な時代に特殊な生き方を強いられた、特殊な人々の物語ではない。これは、いつの時代でもありえる、人間の普遍的なあり方を照らし出す物語なのだ。

未婚でヨハンを生み、助産師をしながら彼を育てた母は、息子が召集されてまだ訓練を受けているときに吹雪に巻き込まれて亡くなった。自分の片手と母と。大切なものを失った少年を支えているのは郵便配達という仕事だ。ヨハンは山を越え、渓を渡り、ペッタースキルヒェン、シャットニー、オード、ベルングラーベン、ディッキヒト、モーレン、ブリュンネルの七つの村から村へ、毎日二十キロ以上、輪を描いて歩く。彼はブリュンネルという故郷を愛している。配達してまわる手紙に記された宛名、そこには一人一人の名前があり、住所がある。それぞれの家族と、それぞれの暮らし。

戦地と故郷を繋ぐ戦時郵便は、兵士にとっても家族にとっても特別なものだ。お互いの無事を知らせることができる唯一の手段なのだから。郵便配達人のヨハンの目を通して「戦時中のドイツの人々」という漠然とした存在ではない、名前を持つ人間が浮かび上がる。高田ゆみ子氏が訳者あとがきで「定点観測」と書いているが、彼が歩く道のりは、そのまま物語の地図となり、くっきりと当時のドイツの人々の「戦争の日常」が立ち上がる。

ルール地方から疎開してきたロッテ。小さな子ども二人の母親である彼女は、毎週二通ずつ戦地の夫に手紙を書き、夫からの便りを受け取る。「六日も便りがない」と夫を心配するロッテに、ヨハンは戦地での兵士の不自由さを体験者として伝え、彼女の心を軽くするが、その数ヶ月後、ヨハンは彼女に戦死の知らせを届けることになる。

ヨハンの目を通して私たちが感じる、夫を、息子を思う彼らの痛みや悲しみは、時代や国の違いを越える普遍的なものだ。何百万ものユダヤ人、知的障害者やセクシュアルマイノリティなどの人々を虐殺したナチスに喝采を送り、讃えた恐ろしい人びと、というイメージからはほど遠い。七十年以上前のドイツの人々の日常は、私たちと何ら変わらない。そこにはやはり愛情があり、裏切りや悲しみがあり、家族への慈しみがあり、恋する若者たちがいる。ナチスの時代といえども、ヒトラーに対するスタンスもさまざまだ。熱狂的なヒトラー信奉者の少女マリエラ。ナチスという時流に乗って地区指導者におさまってはいるが、さしたる信念も持ち合わせず、気のいいところもあるマンゴルト。ヨハンの母ヨゼファや、元村長で居酒屋の主人アルトホーファーのように、ヒトラーに批判的な人たち。同じ国に住んでいても、人の心は同じ色ではない。パウゼヴァングは、村人たちの人生を次々に描いていく。銃弾で鼻を吹き飛ばされたり、眼を失って帰ってきた青年たち。五人の子どもを残して戦死した夫の死を静かに受け止める未亡人。ルール地方から疎開してきた老夫婦。強制労働で連れてこられたポーランドやウクライナの男や女たち。百人いれば百通りの物語があり、それぞれの人生に、戦争が深く食い込んで傷跡を残している。

この物語の中に見つけられるのは、私たちの似姿ばかりなのだ。だとすれば、この似姿の中に何があるのか。私たちはそれを読み解き、覚悟しなければならない。この物語の中を歩くのは、今の私たちの心の中を歩くことと同じだと。

元軍国少女が描く、心優しい郵便配達人

グードルン・パウゼヴァングは、一九二八年に当時ドイツ領だった東ボヘミアのヴィヒシュタドル（現・チェコのムラドコフ）で生まれた。十七歳で敗戦を経験した彼女は軍国少女で、ヒトラーの死の報に涙したという。戦争終結敗戦後、ボヘミアに住んでいたドイツ人は国外追放となり、パウゼヴァングも数百キロの道のりを徒歩でドイツに引き揚げた。その後、教師を経て作家になる。

『最後の子どもたち』（高田ゆみ子訳、小学館、一九八四）のあとがきでパウゼヴァングは「人類の壊滅を想像し、描写しようと試みました」と述べる。その言葉どおり、物語は核爆弾投下後の世界で

次々に登場人物が死ぬ壮絶なものだが、いたずらに恐怖をあおる内容ではけっしてない。核戦争後の世界を、広島や長崎の資料をふまえて描けばこうなるしかないという現実を直視した世界観なのだ。チェルノブイリ原発事故に触発されて書いた『見えない雲』（高田ゆみ子訳、小学館、一九八七／二〇〇六）でも、子どもたちが無防備なまま原発事故に巻き込まれ、命を落としていくさまを描いている。パウゼヴァングは子どもへの作品でも、いや、子どもへの作品だからこそ、臆することなく真実を語ろうとしつづけた作家なのだ。

パウゼヴァングがナチス時代のことを作品として発表しはじめたのは一九九〇年代になってからだ。あの時代を自分の経験も含めて俯瞰し、形にするのには、それだけの時間が必要だったのだろう。そして二〇〇四年に、先に触れた『そこに僕らは居合わせた』を出版。全体主義と思想教育に覆われた戦時下の日常の中にレイシズムや反ユダヤ主義がいかにあたりまえに存在していたかが、みごとに二十の物語に切り取られている。

その中に『アメリカからの客』という一篇がある。大好きなエッダおばあちゃんの誕生日に、五十年以上会っていなかった、おばあちゃんの姉のイルムガルトがはるばるアメリカからやってくる。楽しい集まりになるはずだったお祝い。しかし、イルムガルトはエッダが孫娘に隠していたナチス時代の真実を「私」に次々と話しはじめる。いつも聞かされてきたおばあちゃんの言葉は嘘だったのだ。

「山あいのこんな小さな村まではなにも伝わってこなかったのよ。あの頃起こった恐ろしいできごとは、ヒトラーの時代が終わって初めて知ったの」

「いえいえ。この村には党員はひとりもいなかったわ。ユダヤ人迫害なんてものもなかった。ハーケンクロイツの旗も見たことがなかったしね。（……）」

村人たちはナチスがユダヤ人に何をしたかをちゃんと知っていた。エッダやイルムガルトの父と母はナチスの地区指導者と地区長を務め、戦後すぐにアルゼンチンに移住した兄のカールは強制収容所の看守だった。人道に対する罪を問われるのを恐れたのだろう、名前を変えて逃げたのだ。

エッダはうろたえて叫ぶ。「何を言うの⁉ この子はまだ子どもよ！」妹の言葉に、イルムガルトは言う。「だから真実を知る必要がある」

「（……）若い人たちは知らなきゃいけない。わかるでしょう？ 私が来た目的はそれだったの。もう数年もしたら、あなたは成年になる。大人として、この国の民主主義政治への責任を担うのよ。あの頃のようなことは二度と起こってはならない。この国でもよその国でも同じよ」

真実を知るのは辛いことだ。しかしその痛みに目をつぶってしまえば、恐ろしい破滅に繋がることになる。十代の少女として、ナチスの時代を体感した人間としての、毅然とした責任感がパウゼヴァングの物語にはこめられている。

時代の証人が次々といなくなる中、堰を切ったように戦時中のドイツを描いてきたパウゼヴァングの集大成がこの『片手の郵便配達人』といえる。

しかし、パウゼヴァングは、痛みと厳しさだけを書いたのだろうか？ この時代の普通の人々の暮らしを、パウゼヴァングは丁寧に書き込んでいく。空の色、空気の匂い。春がくればまるで天国のようにアネモネやスノーフレークが咲く。五感を刺激する村の様子は美しい。「イースターは戦争よりも重要だ」――人々は、イースターの編みパン、シュトリーツェルの材料を一年かけて貯え、クリスマスには「あちらこちらからクッキーや、トウヒの葉や、ろうそくの蜜蠟の匂いが漂ってくる」。村の人々が送っていたささやかな日常に溢れている美しさは、それが人間の暮らしとしてかけがえのないものだったことを教えてくれる。

「心の医者」

都会から疎開児童を受け入れるような山あいの小さな村が戦闘の舞台となることはないが、戦争の影は黒雲のように村を覆っている。ヨハンのように負傷して除隊となった者以外に村に若い男の姿はない。村の女たちや老人が一番恐れているのは、夫や息子の死を伝える「黒い手紙」であり、それを配達するのはヨハンだ。郵便配達人という仕事が、これほど生と死に深く関わっていた時代はないかもしれない。

片手を失ってから数ヶ月の体で毎日十五キロから二十キロもの郵便物を持ち山道を歩き通す過酷な仕事。転んで傷口に血が滲むこともある。それでも自ら望んで郵便配達人になったヨハンは、村の人々と話をし、悲しみを受け止め、子どもたちと笑いあう。ヨハンは「身体を動かし、風を感じ、村人と接する」この仕事に復帰できたことが嬉しい。

召集される前、郵便配達の見習い期間中のヨハンは「黒い手紙」を配達させられることはなかった。が、一度、気づかずに「黒い手紙」を父親に渡してしまったことがある。

それは一見、なんの変哲もない手紙だった。差出人の名前はなかった。

遠くから、ヴェンツェルの親父さんが庭で薪割りをしているのが見えた。（……）彼は斧を薪割り台に突き立てると手紙を受け取って封を切り、中を開いた。すると、いきなり嗚咽を漏らしたかと思うと、手紙を放り投げようとした。ところが左手に薪の樹脂がべっとりついていたので、手紙はくっついたまま離れなかった。ヴェンツェルさんは右手で斧をつかむと、左手に貼り付いた手紙めがけて叩き落とした。制服に血しぶきが飛んだ。

国家から支給された制服を汚した、とヨハンをとがめた上司はいきさつを知ると、郵便配達人の務めは手紙を届けることで、訃報の受け取り人を身体的かつ精神的に支える必要もない、と官僚的な冷たさで言い放つ。

手紙を受けとる人の前で心を閉じ、感情を殺して配達を続けようとしたものの、悩むヨハンは、別の地区に勤務する壮年の郵便配達人ゲオルクに助言を求める。

「もしも君が人間でいたいなら、心はけっして閉ざせない。そうだな、制服の上に上っ張りを着たらどうだ？　洗うのも乾くのもアイロンをかけるのも簡単で安く買える上っ張り。そうすれば配達先の人に、存分に涙を流してもらえる。場合によっては血が飛んできたってへっちゃらだ」

職務の規範に従う前に、まず人間であることを大切にするべきだというゲオルクの助言は、彼の温かい人柄を感じさせるとともに、この物語の大切なテーマのひとつだ。ゲオルクは十七年前の聖霊降臨祭の夜に母ヨゼファと一夜の愛を契ったヨハンの実の父親だった。ヨハンの母は、命を生み出す仕事に誇りを持ち、子どもを持ちたいと望んだ。そして、ゲオルクを子どもの父親と定めると、あとは一人で生み、育てることを恐れない人だった。

ヨハンは郵便配達人の制服の上に青い上っ張りをはおって人びとのさまざまな思いを受け止めて歩く。

「郵便配達人は人と接する仕事だ。手紙そのものよりも、手紙を受け取る人との関わりが大切なんだ。良き郵便配達人は心の医者でもある」

戦地から帰ったあと、ヨハンが自分の体で会得した郵便配達人としての哲学だ。ヨハンが守りたかったのはこの村の日々の営みそのものなのだろう。だからこそヨハンは人々に信頼され、あちこちで食事をふるまわれ、愛される。血みどろの戦場から帰ってきたヨハンは、強い責任感で郵便配達人の務めを果たす。そして村人たちの弱さや痛みに寄り添おうとする。しかし、本当に心の医者を必要としていたのは、実はヨハンなのではないか。ヴェンツェルさんの一件だけでも悩みに悩んだほど心優しいヨハンが戦場で体験したことは、とてつもなく恐ろしいものではなかったのか。その白分を振り切るように、彼は七つの村をめぐり、歩きつづける。

七つの村の黙示録

この物語には、時折幻視のような不思議なエピソードが挟まる。ヨハンがたびたび見る、失くした左手にまつわる悪夢。そして森の中の村に住む不思議な予言者のような少年。物語の中で、この二つは読み手にいつも不吉なものを連想させる。

失くした手も時々夢に出てくる。ある時は、ヨハンに向かって白樺の枝から手を振っている。ゆっくりとコーヒーをかきまぜている時もある。出てくるのは自分の手だけだ。それ以外は何も登場しない。蜘蛛の糸のような目に見えない糸に吊り下げられた手に頭をなでられることもあった。五月に見た夢は、絞首台で働く手だった。パルチザンの男が背を向け、ヨハンの手が男の首にロープをかけようとするところだった。ヨハンは自分の叫び声で目が覚めた。

ヨハンが戦場で何を経験したか。具体的には何も語られない。わずかに、前線にいたとき、自分も部隊全体も、尿の匂いがしていたという回想だけだ。「死の恐怖が膀胱に刺激を与える」と。その恐怖は並々ならぬものだっただろう。自ら志願してパルチザンに参加した、ドイツ占領下のベラルーシの少年が体験した戦争を描いたソ連映画『炎628』(エレム・クリモフ監督、一九八五)。はじめは無邪気に笑っていた少年フリョーラは、自分が志願した報復として家族を殺され、隣にいる同胞を銃弾で打ち抜かれ、ドイツ軍が一つの村を焼きつくす殺戮現場を目撃する。たび重なる恐怖に、たった数日で少年の髪が白くなり、顔貌が老人のように苦痛の皺で埋め尽くされるさまは、予想をはるかに超える恐ろしさだ。この映画には、監督と脚本家の戦争体験が反映されているという。

独ソ戦は、軍事的成功による戦争終結をめざす作戦ではなく、人種として「敵とみなした者の絶滅を追求する」「絶滅戦争」（大木毅『独ソ戦――絶滅戦争の惨禍』岩波書店、二〇一九）だ。ドイツ国防軍の後続部隊である出動部隊（アインザッツ・グルッペン）は、占領した地域の何万人ものユダヤ人をかり集め虐殺した。パルチザンに協力したという理由で多くの村が襲撃され、教会に子どもたちが閉じ込められ焼き殺された。前線の兵士たちへの食糧補給は、始めから現地からの収奪があてこまれた「飢餓計画」と呼ばれるもので、行く先々で住民たちは飢餓に追い込まれた。特にレニングラードは一九四一年九月から二年四ヶ月の間ドイツ軍に包囲され、兵糧攻めにされた。人々は人肉食に陥るまでに飢え、死者は百万人以上と言われる。ヨハンが送られた頃はすでにレニングラードはソ連に奪回されていたが、そこは死と絶望が支配する場所だ。

死と絶望が支配していたのは、戦場だけではない。オランダのアムステルダムはドイツ軍に封鎖され、「飢餓の冬」には飢えで大量の人々が死んでいった。ドイツやポーランドに次々に設置された強制労働収容所、絶滅収容所では、ユダヤ人やシンティ・ロマ、知的障害者などが何百万人も殺されていた。地獄はこの村の外で、さまざまな形で展開していた。

このことを頭においてこの物語を読むとき、浮かび上がってくるものがある。ヨハンが毎日めぐるのは、七つの村。


ヨハンが生を受けたのは、聖霊降臨祭の夜、ヒムリッシュ・ハークにある白樺林のシダの茂みだった。その九ヶ月後、先祖代々が暮らしてきたブリュンネルの母の家で、彼は生まれた。古い、尖った切妻屋根の家だった。

村人から「ヨハン」と呼ばれ、ときに「ハネス」とも呼ばれているが、ともに「ヨハネス」の愛称だ。使徒ヨハネに由来する名前を持つ主人公は、聖霊降臨祭の夜に白樺林のシダの茂みで生をうけた。ヨハネの七の物語――新約聖書の「ヨハネの黙示録」が思い出される。ダンテの『神曲』をはじめ、あまたの文学作品に影響を与えてきた黙示録には「七」という数字が繰り返し登場する。黙示録は不思議な幻想に充ち満ちているが、強烈な印象を与えるのは、封印が解かれるたびに現れる恐ろしい滅びの数々だ。「剣と、飢饉と死と地の獣」により殺されていく人々の姿。独ソ戦や強制収容所の記録の後に聖書のこの黙示録を読むと、あまりにそっくりなのに心が凍りつく。にがよもぎという巨大な星が天から降ってきて川の三分の一に落ち、その毒で多くの人が死ぬという記述は、核をテーマにした物語を書いたパウゼヴァングにも同じように感じられたことだろう。そして、もしもこの物語がナチス・ドイツの時代をふまえた黙示録であるなら、戦場や空襲から遠く離れた山あいののどかなこの村のどこかに、地獄に繋がる滅びの道があるはずだ。

(……)戦争は慣れ親しんだものを破壊し、安全を食い破り、希望を押し潰し、身体を痛めつけ、魂を歪める。ものごとを記憶に刻むという意志さえ奪い取ってしまう。かつて、ペッタースキルヒェンにはジークムント・ヴァイツェンフェルトというユダヤ人の獣医がいた。一九四二年、彼は夜霧の中、家族とともにどこかへ連れ去られた。しかし、そのことを思い出そうとする者はもういない。誰かがヴァイツェンフェルト一家についてたずねても、みんな、消息不明だねと言って肩をすくめるだけだ。

そう、ヴィリは知的障害者だった。誰にも危害を加えたりしない。知的障害者には、施設に入れられさえしなければ戦争を生き延びるチャンスがおおいにある。しかし、送られたが最後、あっさり片づけられるらしい。人々はひそかに噂していた。彼らは役に立たない穀つぶし、というわけだ。

障害者が「あっさり片付けられる」ことを知っている村人たちは、たぶん連れ去られた獣医師がどうなったのか、感づいてはいるのだ。しかし、知りたくないという気持ちは、真実に対して、目と耳、そして口を閉ざさせる。

第三帝国下の人々は、知りたいこと
(たとえばドイツ市民が殺害されたこと) は
よく知っていたし、知りたくないこと
(たとえば自国のジプシーやエホバの証人、
そしてユダヤ人が殺害されたこと) は
知らなさすぎたように思える。
彼らが知らなかったことは、
明らかな理由から、
彼ら自身、知りたくなかったのである。
何かを、知りたいと思わない、と言うとき、人はいつも、十分にわかっている。
自分は、もうこれ以上
そのことを知りたくないのだ、ということを。

J・P・スターン、イギリス人歴史家、ホロコーストの目撃者
（S・ブルッフフェルド／P・A・レヴィーン『語り伝えよ、子どもたちに――ホロコーストを知る』高田ゆみ子訳、みすず書房、二〇〇二。訳者の了承を得て一部改訳）

ヨハンの悪夢に登場する、目に見えない糸に吊り下げられた失くした手。大きなものに操られる寓意だろうか。ナチスに抵抗するパルチザンを自分の手で絞首刑にする夢は、密告の恐怖を思わせる。ヒトラーを批判すること、ナチスの祝日にハーケンクロイツの旗を掲げるのを忘れただけで密告の対象になる。村の外で起きていることに目と耳と閉ざし、その輪の中では監視しあう。無関心と残虐性は、同じコインの表裏だ。そしてその無関心は、この村のあちこちに暗い穴を開けている。

村に残っている男はヨハンのように障害を負って戦争から帰ってきたエーリヒやアントン、心臓を患う居酒屋の主人アルトホーファーのように病を持っているもの、もしくはナチスの地区指導者のマンゴルト、それだけだ。農業や林業を生業とするこの村の男手を埋めているのは外国籍の若者たちだ。ドイツ人農家で働かされるため、ポーランドやウクライナからこの辺境の農場へ送られてきた男女。夫を亡くしたばかりの未亡人と舅しかいない製材所ではフランス人捕虜が働かされている。一人暮らしの未亡人の農場には、ウクライナ人の下男とポーランド人の女中がいる。彼らは強制労働者としてここで働いているのだ。ナチスは軍拡を強力に推し進めたが、そのため不足する資源や労働力を、併

合や占領した他国から収奪することで補った。

ヒトラーは自らの理想であったゲルマン民族による千年帝国の実現のために、東方民族がいかに劣等的な人種であるかを盛んに喧伝した。第二次世界大戦末期のドイツ人兵士たちが家族に送った手紙を分析した小野寺拓也は、「スラブ人に対する文化・生活水準における絶対的な優越感」「伝統的な蔑視や偏見、ステレオタイプ」が多く存在すること、それがナチスの人種主義との親和性を高め、破滅に向かっているとしか思えない戦争を続けさせる推進力になったのではないかと推測している（『野戦郵便から読み解く「ふつうのドイツ兵」 第二次大戦末期におけるイデオロギーと「主体性」』、山川出版社、二〇一二）。

村人たちは、「劣等」人種である彼らが自分たちのために奉仕させられ、強制労働に従事していることを、ごくあたりまえのこととして受け止めている。生まれ故郷を愛し、父や夫、兄弟、息子を奪われた人びとの悲しみに寄り添おうとするヨハンさえも、強制労働者たちが自分たちの故郷から遠く離れたこの地にいることに疑問を抱いている様子はない。

（……）私はどんどん学んでいった。（……）我々ドイツがいきなり戦争を始めたこと。戦争を進めるうちに特にロシアとポーランドで何百万人という民間人を、そして実に恐ろしい方法で何百万人というユダヤ人を死にいたらしめたこと、そしてドイツ人はそれらのできごとに責任に負っているということを。
しかし、その五月の朝の私は、まだそのような認識とは遠いところにいた。ヒトラー帝国の少女として教えられていたとおり、私の持つ世界像は支配者と被支配者、「人間素材的価値」の有無によって分けられたままだった。

『そこに僕らは居合わせた』の中の一篇、『すっかり忘れていた』の一節だ。一九四五年、五月の朝。ドイツへ引き揚げる途中の街道で、少女は年若いロシア兵が道端のタンポポを摘んで、一輪は馬の額の革紐に、もう一輪は自分の耳のうしろにひっかけ、朗々とみごとなテノールで歌うのを聴いて驚く。初めてロシア人を、「人間素材的価値」において劣等であるはずの彼を、誰かを愛し、息子として、兄や弟として、家族の父として生きている、自分たちと同じひとりの人間ではないかと思ったのだ。

「ヒトラー帝国の少女」は終戦時のパウゼヴァングそのものの姿だろう。十七歳。ヨハンと同じ年だ。この少女と同じ世界観が、七つの村の普通の人々の見えない部分を覆っている。そして、良心と思いやりの化身のようなヨハンもこの暗い無関心と沈黙からけっして逃れられていない。ヨハンにとって、この七つの村と、そこに住む人々が彼の世界のすべてだったから。もちろんこの村の人々の悲しみ、不安、恐怖も深いが、本当の地獄はこの村の外にある。その地獄を支えているのが、この村のような普通の人々の無関心と視野狭窄であること。それは背筋も凍る発見だ。

彼らは、今、ここに生きている私たちと、痛みや苦しみも、喜びも、何ら変わらない。だからこそ、何度も立ち止まって考えてしまう。なぜ、彼らがヒトラーに政権を与えてしまったのか。なぜ、歓呼とともに戦争への道を突き進んでしまったのか。なぜ、ホロコーストへの道を歩くことになってしまったのか。何百万もの若者たちを戦争に送り込んだ人々も、きっと今の私たちと変わらぬ日常を生きていた。だとしたら、これからの私たちが、また同じ道のりを歩まない保証が、どこにあるだろう。

私たちは細々とした日常に追い立てられながら生きている。食べること、着ること、家族の世話に自分の仕事、病に介護にと肩にずっしり荷物がのしかかる。ヒトラーの結婚奨励貸付金や児童手当などの制度、雇用創出のための政策、国民に提供された福祉厚生施設は、まさにそんな人々の心に入り込んだのだ。日々の明け暮れの中で身の回りしか見えなくなり、気がつけば政治のあり方や報道の中身、子どもたちへの教育方針などがそっくり別物に入れ替わっており、いつのまにかレイシズムがひび割れから染みこむように自分と社会に浸透していく——これは私自身が、今、現在進行形で体験していることでもある。だからこそ心の底から恐ろしい。

正気を失った世界で、人間のあたりまえを生きる

他者への無関心と残虐性を、無邪気に体現しているのが、ヨハンが毎日集配にまわる森林官の未亡人キーゼヴェッターさんだ。彼女は、交通事故で早世した息子夫婦に代わって自分の手で育てた孫のオットーから便りが来るのではないかと、毎日ヨハンを待ちかねている。ヒトラー・ユーゲントのリーダーから親衛隊（SS）になった筋金入りのナチスで、ユダヤ人を憎み、些細なことでも告発し、クラスメートの父親さえも密告して連行させたオットーは村人たちから恐れられていたが、盲目的に孫を愛していたキーゼヴェッターさんにとって、そんなことはどうでもいいことだった。オットーはすでに一九四四年五月の空襲で戦死している。ヨハンは毎日その事実を彼女に悟らせようとするが、老女の心には届かず、毎日同じことが繰り返される。

「ヨハン。オットーからの手紙は?」

ヨハンは、彼女の手に手を重ねて言った。

「キーゼヴェッターさん、お孫さんのオットーは亡くなったじゃありませんか」

笑顔が消え、驚きで表情が歪んだ。

「し、死んだ？」

つかえながら言った。

「私のオットーが？」

（……）

「キーゼヴェッターさん、忘れてはいけません」

ヨハンは強い口調で言った。

「毎日言ってるじゃありませんか。オットーはもう三ヶ月前に……」

大きすぎるショックを受け止められないキーゼヴェッターさんは、孫の帰りを待ちわびるあまり、一月のある夜、激しくなった吹雪に襲われて避難してきたヨハンをオットーだと思い込み、大喜びしてしまう。

昨晩、何度もキーゼヴェッターさんに、自分は孫のオットーではなくヨハンだと説明しようとした。しかし、彼女は唇に指をあて、不機嫌そうにぷいと横を向いた。ついに、ヨハンはかわいい孫のオットーになりきることにした。外では嵐が吹き荒れていた。しかしヨハンは、熱い風呂に入ったあと、祖母の愛情を一身に受けてオットーの暖かいガウンに身を包み、ろうそくの灯りのもとでゆっくりくつろいだ。

キーゼヴェッターさんと対照的に描かれるのは、ヨハンの母ヨゼファだ。物語が幕を開ける一九四四年八月にはすでにこの世を去っているヨゼファは、しかしヨハンの記憶を通じて、その人となりをくっきりと物語の中に刻んでいる。ヨハンが召集令状を受けとった日、母は言う。

「母親と助産師は、命がけで子どもを産み出すのよ。だけど、その子どもたちが大きくなったら、国は彼らをこの世から放り出してしまう。国家にどんな権利があるわけ？」

「ヒトラーが私たちみんなを再びひとつにまとめたなんて言う人がいたら、私はこう言ってやる。あいつはとんでもない男よ！　何百万人もを野垂れ死にさせようとしてるんだから。はっきり言うわ。の・た・れ・じ・に！」

「(……)戦争に行ったら、臆病者でかまわない。生きて帰るためにはなんでもしなさい。だって人生は一度っきり。それがわかってる人は死にはしない」

パウゼヴァングの思いが、ヨゼファの口を借りて迸っているような、命の尊厳に立脚した言葉は力強い。

ナチス・ドイツがどんなに子どもたちの教育、特に少年たちを将来の優秀な兵士として育てることに取り組んだことか。子どもがすべてを吸収する時期に教え込まれる価値観は、やわらかい心の深いところに刷り込まれる。オットーはナチスにとってみればこの上ない優等生だったはずだ。

時の権力者や多数派が要求する同調圧力に一方的に流されない、人としての心をつなぎ止めるものとは何か。大の読書好きのヨハンは、村の小さな図書館の本をすべて読んでしまうほどだったが、ある日図書館は中身をそっくり「アーリア、ゲルマン、原初ドイツ的な本」に入れ替えられてしまった。


「母さん、本当なの？」

ある時、母にたずねた。

「ユダヤ人は金を稼ぎたいだけだって」

「そんな馬鹿げたこと、どこから聞いてきたの？」

母は不思議そうに言った。

「新しく入った本に書いてあったんだ」

「あんたの脳みそはなんのためにあるの？　頭を使いなさい」


日本語版のために寄せられた「日本の皆さんへ」という文章で、作者はこう言っている。

（……）ヒトラーの独裁政治は誘惑的でした。自分が何をすべきか、自ら判断する必要はなかったからです。命令されていればよかったのです。従うことは簡単でした。最上の方法を探ったり、他人に対して寛容であるよう努めたり、自分の責任においてものごとを決断する必要はないのですから。私たちはその誘惑に負けたのです。（……）人は誰も心の奥底に闇を抱えているものですが、支配に身を任せるなかで、潜んでいた邪悪性が呼び覚まされていったのです。私たちは抵抗もせず、ただ付き従っていきました。

母ヨゼファは、やはり助産師だったヨハンの祖母が歳をとってから生んだ私生児で、自分の意志で自らも助産師となり、そして子どもを欲して、ヨハンを一人で産み、育てた。いわゆる世間並の生き方からは外れた人だ。助産師として、赤ちゃんをその手に受け止めつづけた実感としての強さが彼女にはある。この世界にたった一つの命の重み。それを誰よりわかっていたはずだ。

村にはヨハンの母のように、人種主義の価値観から外れ、外国人や捕虜をひとりの人間としてそのまま受け止める人たちもいた。収容所から脱走してきたロシア人捕虜をかくまうヴェラ。居酒屋を一人で切り盛りするヴェラは、プラムムースをいつもヨハンにご馳走してくれる、よく笑う若い女性だ。危険だとたしなめるヨハンに、ヴェラは静かに言う。

「だけど、彼もあんたや私と同じ人間よ」

この一言には、パウゼヴァングの深い思いがこもっている。『そこに僕らは居合わせた』に「お手本」という短編がある。「おばあちゃんがお手本にしてる人っている?」と孫娘が聞く。祖母は答える。子どもの頃の、「お手本」はヒトラーだった、と。それにナチスの制服姿が恰好よかった管区指導者のエーリヒおじさん。そのおじさんは、ロシア軍がやってきたとき、地域の住民たちに「逃げるな」と言いながら、家族を連れて自分だけ真っ先に逃げ出した。当時のことを思いかえし、今もお手本にしたいと思っているのは、「ただのふつうの人」で「有名でもなんでもない」、小さな農場のエルナという農婦だと祖母は答える。エルナは、自分の農場で働かされていたフランス人の捕虜と、その監視役のドイツ人の兵士を同じ食事のテーブルにつかせ、「まず一つめのジャガイモはフランス人、二つめはドイツ人、三つめはフランス人、そして四つめはドイツ人」と、二人の皿に平等に食事を分けた。「エルナにとっては二人とも、まず第一に人間だった。それ以外のことはさして重要じゃなかった」のだ。「ナチスが、ドイツ人であることは人間であること以上に大切だと説いていた、そんな時代に、エルナは当然のように敵国人同士を平等に扱った」。その彼女の態度から、「今もたくさんのことを学べる」と祖母は言う。

エルナのふるまいは、オランダのエルス・ペルフロムの作品、『第八森の子どもたち』のヤンナおばさん夫婦を思い出させる。扉を開いて避難民を受け入れ、敵国の兵士であろうが、ユダヤ人であろうが、とにかく飢えた人に分け隔てなく食べ物を分け与えた人。エルナもヤンナおばさんも、お手本になるつもりでも、有名になるつもりでもなく、ただ人間としてあたりまえと思うことをしただけなのだ。ナチスへの「白バラ」抵抗運動を起こしたショル兄妹の記録を書いた姉のインゲ・ショルは『白バラは散らず』（内垣啓一訳、未来社、一九六四）の中で兄妹についてこう綴っている。

（……）あの人たちは何も超人的なことを企てたのではないのです。ただある単純なことを守ったにすぎない、ある単純なこと、つまり個人の権利と自由、各人の自由な個性の発達と自由な生活への権利とを、背負って立ったにすぎないのです。彼らは異常な理念に身を捧げたのでもなく、偉大な目標を追ったのでもありません。彼らの欲したことはみんなが、あなたもわたしも、人間的な世界に生きうるということだったのです。

ショル兄妹は民族裁判所での一方的な裁判の末、ギロチンで処刑されてしまった。正気を失った時代の中で、人間であること、人間らしく生きるという単純なことを背負って立つのは、生やさしいことではない。その難しいことを、さらりとやってのけたエルナやヴェラの「ふつう」さに心打たれる。人間らしく生きることは、何も特別なことでも、高尚な理想を掲げることでもない、ごくささやかな、あたりまえのこと、そのあたりまえさをけっして手離さないことだから。

ヨハンは恋をした。助産師として務めていたリンツから、北ドイツの故郷へ戻る旅の途中に村を通過した、イルメラ。太陽のように明るく、命の輝きに満ちた娘は、助産師がいなくなったこの村の赤ん坊をとりあげ、ヨハンと光り輝くような春の日々を過ごす。タンポポの絨毯の上で抱きしめ合う二人はつかの間の幸せな時間を満喫する。この世界で最も人間的なこと――恋を知ったヨハンのこの言葉には、人間らしく生きることとは何かがぎゅっと詰まっている。

人間もこんなふうに生きられたらと思った。気の向くまま、好きなように動きまわる。戦争へなんか行かなくてもいい。したいことだけをする。休暇に行く。旅をして世界中を見て回る。女の子と恋をする時間を持つ。そばに暖かい身体を感じ、「好きだよ、イルメラ！」と、ささやく。そんなことができる人生は、なんとすばらしいのだろう。

平和な時代の若者から見れば、「え？　こんなこと？」と思うようなあたりまえの日常。しかし、戦争が始まって真っ先に失われるのは、こんなささやかなあたりまえのことなのだ。

十代を戦争の時代に塗りつぶされて生きてきたヨハンが初めて知った生きる喜び。人々の悲しみが霧のようにたちこめる村をめぐるヨハンに訪れたこの恋は、物語の中でひときわ明るい。私は、恋を知ってからのヨハンがとても好きだ。ヨハンはイルメラと出会い、やっと自分のために生きたいと思えたのではないだろうか。

イルメラは村で何人か赤ん坊を取り上げたあと、「私はきっと戻ってくる」という言葉を残し、再び故郷に向けて旅だってゆく。そして、五月。戦争は終わり、ヨハンは生き延びた——片手と母を失ったが、ここから新しい、人間的な喜びをイルメラと作り上げていく日々が始まるはずだった。

『そこに僕らは居合わせた』の一篇、『守護天使』には、戦中戦後をともに生き延びた老夫婦が描かれる。夫の左手はヨハンのように榴弾の破片で吹き飛ばされて、ない。パウゼヴァングと同様、引揚者である二人は、故郷を追放され苦労はしたが、長年連れ添い、今では孫も、果樹園のある素敵な家もある。私は、この夫婦がヨハンとイルメラの、もう一つの未来だったかもしれないと夢想する。そうだったらどんなによかっただろう。

壮絶な結末に潜む希望

ヨハンがめぐる村の一つに住む十歳のヘルムートは並外れて聡明だが、時折予言的な不思議な言葉を口にする。ヒトラーの自殺を予言したヘルムートは、敗戦によって村人たちがこの故郷の村から出ていかなければならなくなる、とヨハンに告げる。「僕らの七つの村にだれもいなくなるなんて、想像できるわけない」と言うヨハンに、少年はこの物語のラストに繋がるもう一つの予言をつぶやく。

「想像はできない」

考え深げにヘルムートは答えた。

「でも、想像できないことが起こるかもしれない」

ヘルムートは歩き出した。数歩行って振り向いた彼は、分厚いメガネ越しにヨハンの背中をじっと見つめると、小さな声で言った。

「君だって、もう長くは生きていない」

その声は、ヨハンには聞こえなかった。


黙示録としての予言が、神ではなく子どもからもたらされる。これは大人たちが壊したこの世界のなかで生きていかねばならない子どもからの告発なのか。

ヨハンは、終戦によって郵便が途絶しているうちに、イルメラに会いにいこうと思い立つ。郵便配達人の制服を脱いで、私服にリュックサックを背負い、家を出たその朝、キーゼヴェッターさんの家で「想像できないこと」は起こった。告発を繰り返したオットーに復讐するために見知らぬ二人組がやってきたのだ。オットーはどこだと迫る彼らに、ヨハンは彼は戦死したと答えるが、二人は信じようとしない。孫の死をいつものように認めないキーゼヴェッターさんが騒ぎだす。


「オットーは生きてる！　生きてます！」

金切り声になった。

「わかってます。オットーは私の孫だから！」

「じゃ、奴はどこにいる？」

あばた男は、激しい口調で言った。

老女は腕を大きく伸ばして、ヨハンを指した。

「ここよ！」

そしてちょこちょこした足取りで走り寄ると、ヨハンにしがみついた。

「そんなことだろうと思った」

ヒゲ男は叫ぶと、ヨハンの首根っこをつかんだ。

ヨハンは何度も自分はオットーではない、郵便配達人ヨハン・ポルトナーだと説明するが、キーゼヴェッターさんはヨハンをオットーと呼びつづける。

二人がロープを枝にかけ、しっかりと結びつけるまで、少し時間がかかった。ヨハンにはもう、二、三分しか残されていなかった。ヨハンはもう一度、無慈悲なまでにすばらしいこの世の匂いを吸い込み、汗に濡れた額をなでるそよ風を感じ、ミツバチの羽音を聞き、不運な偶然の苦みを味わった。こちらへ向かって飛んできた、大きな青いトンボの姿を目で追い、そしてイルメラを想った。

戦争の理不尽は、すべてを押しつぶす。いったん終わったかのように見えた戦争が、逃れられぬ運命のようにヨハンを飲み込んでいくのだ。ラストの理不尽さに、私はしばし呆然とした。しかしパウゼヴァングは、あえてこの理不尽を読み手に突きつけたのだろう。ヘルムート少年の予言だけではなく、ヨハンの悪夢の中でも、キーゼヴェッターさんが渡す郵便カバンに赤黒く変色したヨハンの左腕が入っていたりと、この物語のなかでヨハンの死は何度も暗示されている。ヨハンの命の輪は聖霊降臨祭の夜に始まり、十八年後の聖霊降臨祭明けのこの日に閉じた。何度読み返しても、ヨハンは必然に導かれるように死んでいったとしか思えない。

ヨハンの死は、まるで吹き飛ばされた彼の左手の切り口のように生々しい。生と死の間、息を引き取ろうとする苦しみの中でヨハンは永遠に宙づりになっている。しかし、パウゼヴァングの狙いはそこなのではないか。この納得できない死を、二度と忘れられぬように読み手の記憶を刻みつけること。

この本を初めて読んだとき、まるで幼い頃から知っている青年を失ったように胸が痛んだ。英雄でもなんでもない、ひとりの青年の死。

しかし、私たちはこのラストにただ理不尽を感じ、ヨハンの最期に涙するだけでよいのか。その資格が、本当に私たちにあるのか。キーゼヴェッターさんは血の繋がりしか視野に入らない人間の究極の姿ではあるが、とりたてて特別な人でもない。今自分の横にいても不思議のない、もしかして何十年か後の自分の姿かもしれない。ヒトラーの唱えた人種主義は、素朴な身内意識や優越感という、人が誰でも持っている感情と親和性が高い。その感情と無関心や思考停止が結びつき、国家というシステムの中で増幅され、大きな暴力となってかけがえのない命を飲み込んでいった。

私たち人間が無意識の中に淀ませている暴力の犠牲になったものの象徴として、聖なる夜に生を受けたヨハンは殺されてしまった。まるで原罪を背負って死んだキリストのように。物語のページからは読み取ることのできない悲鳴の残響がいつまでも耳に残りつづける。そのかすかな残響から私たちは聞き取らねばならない。彼が「ヨハン」として、自分自身の名前を持つ存在として死ぬことさえできなかったことを。人生のすべてがこれからだった若者が、その身のうちに秘めた可能性を奪われてしまったこと。レニングラードの荒野で、囚人番号を刻まれた収容所で、輸送されていく列車の中で、若者たちは誰にも見とられず、弔いもされずに埋められた。戦争反対、反ヒトラーを唱えた若者は首をはねられ、銃弾で撃ち殺された。私たちがヨハンの死に納得できないのであれば、その何百万人という若者たちの死も、何ひとつ納得されてはいけないのだ。

その理不尽な死を、痛みを、恐れず見つめつづけることからしか、未来の希望は生まれてこない。人間的な世界に生きることを奪われた若者たちの死は、私たちの目前に今も積み上げられていっている。ヨハンがたどった死への行程は、ふつうに生きているはずの私たちがこの先、いや、今歩いているかもしれない滅びの道なのだ。

巻末の「日本の皆さんへ」の中で、パウゼヴァングは日本の戦後処理について、こう言っている。「日本もドイツと同じように、戦時中に周辺国において非道な行いをしました。その事実と、どのように向き合ってきたでしょうか」「罪を認め、心から詫び、できるかぎりの償いをして、共生していく努力が大切です」と。ドイツは戦後、「以前とはまったく異なる観点に立つ歴史教育」を行い、「慎み深く、控えめに、自らを律し、強権的態度を取ることなく、下位で満足するよう努め」、何十年という年月をかけて謙虚に戦争責任を見つめつづけた。今、ヨーロッパの中に確固たる地位を築いているドイツと、いまだに自らの戦争責任を明らかにできない日本とは大きな隔たりがある。

百冊目の作品である『片手の郵便配達人』を八十七歳で書き上げたあと、パウゼヴァングは福島原発事故の後、二〇一二年に近未来の原発事故を扱った *Noch lange danach*（あれから、いまだなお）などわずかを書いたのみで、晩年を静かに過ごしていたという。そして二〇二〇年の一月に亡くなった。

パウゼヴァングの物語は自分の内にある、フタをしておきたいものをこじあける。しかしその厳しさは今の、そして未来の子どもたちへの限りない愛情だ。戦争はいったん始まれば、巨神兵がこの世に現われて、すべてを焼き尽くしてしまう。そこから逃れられる人間など、誰一人としていない。戦争責任とは、未来の戦争を起こさないこと。この作品の結末を、どうかあなたたちの手で、榴弾なんかに吹き飛ばされない若者の手で変えてほしい、変えられる――その希望を、パウゼヴァングはこの物語にこめたのだ。

作家と作品

朽木祥（一九五七―　日本）

『彼岸花はきつねのかんざし』ささめやゆき絵　学習研究社　二〇〇八

『絵本　彼岸花はきつねのかんざし』ささめやゆき絵　学研教育出版　二〇一五

『石の記憶』（『八月の光』偕成社　二〇一二／『八月の光・あとかた』小学館文庫　二〇一五／『八月の光　失われた声に耳をすませて』小学館　二〇一七に所収）

『雛の顔』（『八月の光』偕成社　二〇一二／『八月の光・あとかた』小学館文庫　二〇一五／『八月の光　失われた声に耳をすませて』小学館　二〇一七に所収）

『銀杏のお重』（『八月の光・あとかた』小学館文庫　二〇一五／『八月の光　失われた声に耳をすませて』小学館　二〇一七に所収）

『水の緘黙』（『八月の光』偕成社　二〇一二／『八月の光・あとかた』小学館文庫　二〇一五／『八月の光　失われた声に耳をすませて』小学館　二〇一七に所収）

『八重ねえちゃん』（『八月の光　失われた声に耳をすませて』小学館　二〇一七所収）

『三つ目の橋』（『八月の光・あとかた』小学館文庫　二〇一五／『八月の光　失われた声に耳をすませて』小学館　二〇一七に所収）
『カンナ　あなたへの手紙』（『八月の光　失われた声に耳をすませて』小学館　二〇一七所収）
『光のうつしえ　廣島　ヒロシマ　広島』講談社　二〇一三
（英語版　Shaw Kuzki, *Soul Lanterns*, Tr. Emily Balistrieri, Delacorte Press, 2021）

エルス・ペルフロム（一九三四—　オランダ）
『第八森の子どもたち』ペーター・ファン・ストラーテン 絵　野坂悦子訳　福音館書店　二〇〇〇／福音館文庫　二〇〇七
（Els Pelgrom, *De kinderen van het achtste woud*, Kosmos bv, 1977）

ロバート・ウェストール（一九二九—一九九三　英国）
『〝機関銃要塞〟の少年たち』越智道雄訳　評論社　一九八〇
（Robert Westall, *The Machine-Gunners*, Macmillan, 1975）
『かかし—今、やつらがやってくる』金原瑞人訳　福武書店　一九八七／『かかし』金原瑞人訳　徳間書店　二〇〇三
（Robert Westall, *The Scarecrows*, Chatto & Windus, 1981）
『アドルフ』（『遠い日の呼び声　ウェストール短編集』野沢佳織訳　徳間書店　二〇一四所収）
（Robert Westall, "Adolf," in *Echoes of War*, Viking Kestrel, 1989）

『海辺の王国』坂崎麻子訳　徳間書店　一九九四
(Robert Westall, *The Kingdom by the Sea*, Methuen Young Books, 1990)
『空襲の夜に』(『遠い日の呼び声　ウェストール短編集』野沢佳織訳　徳間書店　二〇一四所収)
(Robert Westall, "Daddy-Long-Legs," in *Voices in the Wind*, Macmillan Children's Books, 1997)
『弟の戦争』原田勝訳　徳間書店　一九九五
(Robert Westall, *Gulf*, Methuen Children's Books, 1992)
『禁じられた約束』野沢佳織訳　徳間書店　二〇〇五
(Robert Westall, *The Promise*, Macmillan Children's Books, 1990)
『ブラッカムの爆撃機』金原瑞人訳　福武書店　一九九〇／『ブラッカムの爆撃機――チャス・マッギルの幽霊　ぼくを作ったもの』金原瑞人訳／宮崎駿編　岩波書店　二〇〇六
(Robert Westall, "Blackham's Wimpy," in *Break of Dark*, Chatto & Windus, 1982)

岩瀬成子（一九五〇―　日本）
『ピース・ヴィレッジ』偕成社　二〇一一／日本児童文学者協会編『児童文学10の冒険　ここから続く道』偕成社　二〇一八所収
『朝はだんだん見えてくる』理論社　一九七七／二〇〇五
『そのぬくもりはきえない』偕成社　二〇〇七
『きみは知らないほうがいい』文研出版　二〇一四
『ぼくが弟にしたこと』理論社　二〇一五

『春くんのいる家』文溪堂　二〇一七

シンシア・カドハタ（一九五六―　日系アメリカ）

『象使いティンの戦争』代田亜香子訳　作品社　二〇一三

（Cynthia Kadohata, *A Million Shades of Gray*, Atheneum Books for Young Readers, 2010）

エリザベス・レアード（一九四三―　英国）

『戦場のオレンジ』石谷尚子訳　評論社　二〇一四

（Elizabeth Laird, *Oranges in No Man's Land*, Macmillan Children's Books, 2006）

『ぼくたちの砦』石谷尚子訳　評論社　二〇〇六

（Elizabeth Laird, *A little piece of ground*, Macmillan Children's Books, 2003）

『はるかな旅の向こうに』石谷尚子訳　評論社　二〇一七

（Elizabeth Laird, *Welcome to Nowhere*, Pan Macmillan , 2017）

デイヴィッド・アーモンド（一九五一―　英国）

『火を喰う者たち』金原瑞人訳　河出書房新社　二〇〇五

（David Almond, *The Fire Eaters*, Hodder Children's Books, 2003）

『肩胛骨は翼のなごり』山田順子訳　東京創元社　二〇〇〇／創元推理文庫　二〇〇九

（David Almond, *Skellig*, Hodder Children's Books, 1998）

『ベイビー』（『星を数えて』金原瑞人訳　河出書房新社　二〇〇六所収）
(David Almond, "The Baby," in *Counting Stars*, Hodder Children's Books, 2000)
『ヘヴンアイズ』金原瑞人訳　河出書房新社　二〇一〇
(David Almond, *Heaven Eyes*, Hodder Children's Books, 2000)
『クレイ』金原瑞人訳　河出書房新社　二〇〇七
(David Almond, *Clay*, Hodder Children's Books, 2005)

三木卓（一九三五―　日本）
『ほろびた国の旅』盛光社　一九六九／角川文庫　一九七六／講談社　二〇〇九

グードルン・パウゼヴァング（一九二八―二〇二〇　ドイツ）
『片手の郵便配達人』高田ゆみ子訳　みすず書房　二〇一五
(Gudrun Pausewang, *Der einhändige Briefträger*, Ravensburger Verlag GmbH, 2015)
『ランマー』（『そこに僕らは居合わせた――語り伝える、ナチス・ドイツ下の記憶』高田ゆみ子訳　みすず書房　二〇一二所収）
『アメリカからの客』（同書所収）
『すっかり忘れていた』（同書所収）
(Gudrun Pausewang, *Ich war dabei. Geschichten gegen das Vergessen*, Patmos Verlag GmbH & Co.KG Sauerländer Verlag , 2004)

『最後の子どもたち』高田ゆみ子訳　小学館　一九八四
(Gudrun Pausewang, *Die Letzten Kinder von Schewenborn*, Taschenbuch, 1983)
『見えない雲』高田ゆみ子訳　小学館　一九八七／二〇〇六
(Gudrun Pausewang, *Die Wolke*, Taschenbuch, 1987)

ブックリスト

古典ともいえる『あのころはフリードリヒがいた』から、一般向けの作品ながら高校生の高い支持を集めた『四人の兵士』まで——本文で紹介することのできなかった日本や海外の児童文学・ヤングアダルトを、親と子が一緒に読める本から始めて、ゆるやかに対象年齢に沿って並べました。作者名の後ろに出身国を記しましたが、移民二世・三世の作家もいれば、自分の国から離れたところで起きた戦争に心を寄せて書かれた作品や、「敵国」の視点に立って書かれた物語もあります。書誌は、現在入手しやすいと思われる版のものを中心に用いました。

・『へいわって　どんなこと？〈日・中・韓平和絵本〉』文と絵 浜田桂子（日本）　童心社　二〇一一
・『へいわとせんそう』たにかわしゅんたろう（日本）Noritake 絵　ブロンズ新社　二〇一九
・『ぼくがラーメンたべてるとき』文と絵 長谷川義史（日本）　教育画劇　二〇〇七
・『あるひあるとき』あまんきみこ（日本）ささめやゆき 絵　のら書店　二〇二〇
・『せんそうがやってきた日』ニコラ・デイビス（英国）レベッカ・コッブ 絵　長友恵子訳　すずき出版　二〇二〇

・『世界一うつくしいぼくの村』文と絵　小林豊（日本）　ポプラ社　一九九五
・『ながいながい旅――エストニアからのがれた少女』ローセ・ラーゲルクランツ（スウェーデン）イロン・ヴィークランド　絵　石井登志子訳　岩波書店　二〇〇八
・『さがしています』アーサー・ビナード（アメリカ）岡倉禎志　写真　童心社　二〇一二
・『ドームがたり（未来への記憶）』アーサー・ビナード（アメリカ）スズキコージ　絵　玉川大学出版部　二〇一七
・『私たちはいま、イラクにいます』シャーロット・アルデブロン（アメリカ）森住卓　写真　講談社編集部訳　講談社　二〇〇三
・『紅玉』後藤竜二（日本）高田三郎　絵　新日本出版社　二〇〇五
・『花ばあば』文と絵　クォン・ユンドク（韓国）桑畑優香訳　ころから株式会社　二〇一八
・『彼の手は語りつぐ』文と絵　パトリシア・ポラッコ（アメリカ）千葉茂樹訳　あすなろ書房　二〇〇一
・『あの日とおなじ空』安田夏菜（日本）藤本四郎　絵　文研出版　二〇一四
・『盆まねき』富安陽子（日本）高橋和枝　絵　偕成社　二〇一一
・『パンプキン！　模擬原爆の夏』令丈ヒロ子（日本）宮尾和孝　絵　講談社　二〇一一／二〇一九
・『八月の髪かざり』那須正幹（日本）片岡まみこ　絵　佼成出版社　二〇〇六
・『ある晴れた夏の朝』小手鞠るい（日本）　偕成社　二〇一八
・『ぴぃちゃあしゃん　ある少年兵のたたかい』乙骨淑子（日本）滝平二郎　絵　理論社　一九六四／一九七五／〈乙骨淑子の本1　ぴぃちゃあしゃん〉一九九五
・『木かげの家の小人たち』いぬいとみこ（日本）吉井忠　絵　福音館書店　一九六七／二〇〇二

・『ぼんぼん』今江祥智（日本）宇野亞喜良 絵 岩波少年文庫 二〇一〇／理論社〈新装版〉二〇一二
・『少年口伝隊一九四五』井上ひさし（日本）ヒラノトシユキ 絵 講談社 二〇一三
・『木槿(むくげ)の咲く庭 スンヒィとテヨルの物語』リンダ・スー・パーク（アメリカ）柳田由紀子訳 新潮社 二〇〇六
・『生きる――劉連仁(リュウリエンレン)の物語』森越智子（日本）谷口広樹 絵 童心社 二〇一五
・『風の海峡』（上下巻）吉橋通夫（日本）講談社 二〇一一
・『瓶に入れた手紙』ヴァレリー・ゼナッティ（フランス）伏見操訳 文研出版 二〇一九
・『心の国境をこえて――アラブの少女ナディア』ガリラ・ロンフェデル・アミット（イスラエル）高田勲 絵 母袋夏生訳 さ・え・ら書房 一九九九
・『［グラフィック版］アンネの日記』アンネ・フランク（オランダ）アリ・フォルマン編 デイビッド・ポロンスキー 絵 深町眞理子訳 あすなろ書房 二〇二〇
・『ヒトラー・ユーゲントの若者たち――愛国心の名のもとに』スーザン・キャンベル・バートレッティ（アメリカ）林田康一訳 あすなろ書房 二〇一〇
・『ヒットラーのむすめ』ジャッキー・フレンチ（オーストラリア）さくまゆみこ訳 すずき出版 二〇〇四／二〇一八
・『ゾウと旅した戦争の冬』マイケル・モーパーゴ（英国）杉田七重訳 徳間書店 二〇〇三
・『真夜中の動物園』ソーニャ・ハートネット（オーストラリア）野沢佳織訳 主婦の友社 二〇一二
・『バーバラへの手紙』文と絵 レオ・メーター（ドイツ）上田真而子訳 岩波書店 一九九一
・『縞模様のパジャマの少年』ジョン・ボイン（アイルランド）千葉茂樹訳 岩波書店 二〇〇八

・『銀のロバ』ソーニャ・ハートネット（オーストラリア）野沢佳織訳　主婦の友社　二〇〇六
・『猫の帰還』ロバート・ウェストール（英国）坂崎麻子訳　徳間書店　一九九八
・『あのころはフリードリヒがいた』ハンス・ペーター・リヒター（ドイツ）上田真而子訳　岩波少年文庫　一九七七／二〇〇〇
『ぼくたちもそこにいた』ハンス・ペーター・リヒター（ドイツ）上田真而子訳　岩波少年文庫　一九九五／二〇〇四
『若い兵士のとき』ハンス・ペーター・リヒター（ドイツ）上田真而子訳　岩波少年文庫　一九九五／二〇〇五
・《ベルリン三部作》『ベルリン1919　赤い水兵』『ベルリン1933　壁を背にして』『ベルリン1945　はじめての春』（いずれも上下巻）クラウス・コルドン（ドイツ）酒寄進一訳　岩波少年文庫　二〇二〇
・『ふたりきりの戦争』ヘルマン・シュルツ（ドイツ）渡辺広佐訳　徳間書店　二〇〇六
・『ぼくたちがギュンターを殺そうとした日』ヘルマン・シュルツ（ドイツ）渡辺広佐訳　徳間書店　二〇二〇
・『灰色の地平線のかなたに』ルータ・セペティス（アメリカ）野沢佳織訳　岩波書店　二〇一二
・『草花とよばれた少女』シンシア・カドハタ（アメリカ）代田亜香子訳　白水社　二〇〇七
・『ハナコの愛したふたつの国』シンシア・カドハタ（アメリカ）もりうちすみこ訳　小学館　二〇二〇
・《ステフィとネッリの物語》『海の島』『睡蓮の池』『海の深み』『大海の光』アニカ・トール（スウェーデン）菱木晃子訳　新宿書房　二〇〇六〜二〇〇九

・『わたしがいどんだ戦い　1939年』キンバリー・ブルベイカー・ブラッドリー（アメリカ）大作道子訳　評論社　二〇一七
・『わたしがいどんだ戦い　1940年』キンバリー・ブルベイカー・ブラッドリー（アメリカ）大作道子訳　評論社　二〇一九
・『戦火の馬』マイケル・モーパーゴ（英国）佐藤見果夢訳　評論社　二〇一一
・『ボグ・チャイルド』シヴォーン・ダウド（英国）千葉茂樹訳　ゴブリン書房　二〇一一
・『空白の日記』（上下巻）ケーテ・レヒアイス（オーストリア）松沢あさか訳　福音館文庫　二〇〇四
・『おくればせの愛』ペーター・ヘルトリング（ドイツ）上田真而子訳　岩波書店　一九九二
・『ぼくがきみを殺すまで』あさのあつこ（日本）朝日文庫　二〇二一
・『四人の兵士』ユベール・マンガレリ（フランス）田久保麻理訳　白水社　二〇〇八
・『絵で読む　広島の原爆』那須正幹（日本）西村繁男　絵　福音館書店　一九九五

あとがき

この評論集は、雑誌『みすず』二〇一八年四月号から二〇二〇年六月号にかけて十二回連載したもののうち、十篇を選んで新たに加筆・修正を加えたものです。

二〇〇五年に「おいしい本箱」という児童書サイトを友人とはじめました。そのときに、せっかくならもっと詳しく本の紹介を書きたいと思い、こちらは一人で「おいしい本箱 book cafe」という書評ブログを始めたのです。本を手に取ることで、どこか生きづらい今の時代の子どもたち、それに大人たち（親である人も、そうでない人も）が、少しでも楽しい時間を過ごせたらと思ったからでした。しかし、その後も、子どもや若者たちの置かれている状況の苦しさはますます増すばかり。児童文学を読みながら、この生きづらさが何なのかを、私は少しずつ考えるようになりました。

独学で「思考する」ことを模索しながら、おぼつかない足取りで前に進もうとする私の拠り所と指針になってきたのは、児童文学にこめられている愛情と光でした。「子どもの読み物」として見下されたり、軽くみられたりしがちですが、実は幼い子どもたちのために書く本ほど、言葉のセンスや、考え尽くされた構成が必要になる、難しいジャンルです。子どもの知性や感性は、時として大人よりも鋭く、敏感なのですから。

みすず書房から、雑誌への連載のお話を思いがけずいただいたとき、舞い上がるほど嬉しかったと同時に、私でよいのかと、自らの能力に果てしなく不安になったことを思えています。その予感は的中し、あちこちで頭を打ち、悩み、右往左往した日々でしたが、自分なりに考えてきたことをなんとかここまでまとめることができたのは、声をかけて連載の企画をくださり、導き、励まし、こうして一冊の本にする機会を与えてくださった、みすず書房編集部の成相雅子さんのおかげでした。

子どもたちは自分で声をあげることができません。児童文学の作家は、彼らの声に、聞こえない胸の内に耳をすませます。彼らの行く手に、目を凝らします。とりわけ、戦争という途方もない怪物に対峙するのは、児童文学作家にとって気が遠くなるほどの労苦と恐れに満ちたことに違いないのです。それでも書かずにいられない、作家たちの祈りや願いを、少しはくみ取れただろうか。借り物ではない、心の芯に響く言葉にすることができただろうか。まだまだ、という思いとともに、命について、生きることについて、児童文学を通じて愚直に考えることを、私はこれからも、すこしずつでも、続けていくのだろうと思います。

一応、児童文学評論家、などと名乗ってはみるものの、そんな大それた肩書は、自分には似合いません。非常勤ながら長年勤めている図書館で、四ヶ月健診に来る赤ちゃんに初めての絵本をプレゼントするブックスタートの仕事をしている私ですが、そこで出会う赤ちゃんたちに、どんな未来を用意するかは、私たち大人の責任だといつも思います。無数の大人たちの優しい手が、子どもたちを守り、育てるのだと。

この本を手にしてくださった方々が、一冊でも多くの児童文学に、その魅力と奥深さに触れていただけたら、こんなに嬉しいことはありません。

二〇二一年　十月末日　深夜の自宅にて

繁内理恵

著者略歴

（しげうち・りえ）

大阪府生まれ．1999 年から公立図書館非常勤職員．2005 年より「児童文学書評ブログ　おいしい本箱 book cafe」にて，児童書を中心に1600 本を超える書評を発表．2007 年より，図書館，保健，教育，行政機関，市民ボランティアなどが連携し，「赤ちゃんと絵本がある時間をともにする，分け合う」ブックスタート事業を担当．2014 年より，同人誌『季節風』に児童文学評論を発表．全国児童文学同人誌連絡会「季節風」会員．日本児童文学者協会会員．

繁内理恵

戦争と児童文学

2021年12月10日　第1刷発行

発行所　株式会社 みすず書房
〒113-0033 東京都文京区本郷2丁目20-7
電話 03-3814-0131(営業) 03-3815-9181(編集)
www.msz.co.jp

本文組版　プログレス
本文印刷・製本所　中央精版印刷
扉・表紙・カバー印刷所　リヒトプランニング

ISBN 978-4-622-09066-3
[せんそうとじどうぶんがく]